NORVAL BARD

D1081651

ŒUVRES COMPLÈTES

François Villon

ŒUVRES COMPLÈTES

LE LAIS [*legs*]
LE TESTAMENT
POÉSIES DIVERSES
JARGON ET JOBELIN

Mis en français moderne et présenté par Claude Pinganaud

arléa

16, rue de l'Odéon, 75006 Paris
www.arlea.fr

ISSN 1157-3880
ISBN 2-86959-687-1
© Mai 2005 – Arléa

Poète de la ville, des pauvres,
de la faim et de la mort

Villon est à peu près le seul entre les gothiques qui ait réellement des idées. Villon sait sa potence à fond, et le pendu dans tous ses aspects. Il fait mépris de la nature champêtre. Il n'était assurément pas un grand partisan de l'idylle.

Théophile Gautier

Né entre le 1ᵉʳ avril 1431 (ancien calendrier – l'année commençant à Pâques) et le 19 avril 1432, mort après 1463, François de Montcorbier, ou des Loges, nous est connu sous le nom de son bienfaiteur, Guillaume de Villon, son « plus que père » – peut-être son père naturel –, chanoine à Saint-Benoît-le-Bétourné (rue Saint-Jacques, non loin de la Sorbonne). C'est en tout cas le nom de Montcorbier, ou « Monterbier alias des Loges », qui figure, en mars 1449 – il a dix-huit ans –, sur son diplôme de bachelier à la faculté des arts de l'université de Paris. Il sera reçu maître ès arts en 1452.

Le 5 juin 1455, au cours d'une rixe près du cloître de Saint-Benoît-le-Bétourné, François Villon tue un prêtre (Philippe Chermoy, ou Sermoise) qui l'aurait provoqué. Blessé, Villon se fait soigner sous le nom de Michel Mouton, et, pour se soustraire aux poursuites, se voit contraint de quitter Paris, qu'il ne retrouvera, un an plus tard, qu'après l'obtention de « lettres de rémission » (adressées l'une à « François de Monterbier », l'autre à « maître François des Loges autrement dit Villon »).

Pendant la nuit de Noël 1456, nouvelle affaire criminelle : Villon et ses condisciples s'emparent, au collège de Navarre, de cinq cents écus d'or, avec, dirions-nous aujourd'hui, les circonstances aggravantes de vol avec effraction et en réunion. Nouvelle fuite, nouvelle errance (*Adieu ! Je m'en vais à Angers...*) qui va durer quatre ans, de 1457 à 1461.

Après Angers, on retrouve Villon à la cour de Jean II de Bourbon, établie à Moulins, puis à celle de Charles d'Orléans, à Blois, où le duc, poète lui-même, se plaît dans la compagnie des artistes. Le séjour de Villon à Blois nous est connu par la présence de trois de ses œuvres sur le manuscrit autographe de Charles d'Orléans, notamment la *Ballade du concours de Blois* (*Je meurs de soif auprès de la fontaine...*), qui est la contribution de Villon à un concours de poésie proposé par le duc Charles. En 1461 l'évêque d'Orléans, Thibaut d'Auxigny, condamne – on ne sait, cette fois, pour quel délit – Villon à la prison. Il est enfermé à Meung-sur-Loire, d'où il sera élargi par Louis XI, le 2 octobre de la même année, en vertu de l'« amnistie du sacre » décrétée par le souverain lors de son passage dans la ville.

1462. Paris. François Villon achève le *Testament*.

Au début de l'année 1463, Villon est une fois encore arrêté, suite à une bagarre qui a eu lieu à la fin de l'année précédente, rue de la Parcheminerie (rue des « stationnaires » – ou libraires – et des copistes), devant l'écritoire de François Ferrebourg, notaire pontifical, qu'un des compagnons de Villon a blessé grièvement. Après son arrestation le poète est conduit à la prison du Châtelet, « questionné » et condamné à la pendaison. Il fait appel de la sentence, et c'est sans doute pendant ces jours qu'il écrit l'*Épitaphe Villon*, connue aussi sous le titre de *Ballade des pendus*.

Son appel est entendu, et la sentence de mort est rapportée. Mais, le 5 janvier 1463, le Parlement de Paris, « eu égard à la mauvaise vie dudit Villon, bannit ce dernier pour dix ans de la ville et prévôté de Paris ».

Dès lors on perd sa trace.

Rabelais, au chapitre 13 du *Quatrième Livre*, prétend que *maître François Villon, sur ses vieux jours, se retira à Saint-Maixent en Poitou, sous la faveur d'un homme de bien, abbé dudit lieu. Là, pour donner passe-temps au peuple, entreprit faire jouer la Passion en gestes et langage poitevins...*

Au chapitre 67 du même livre, Rabelais fait une fois encore allusion à Villon : *exemple autre au roi d'Angleterre, Edouard V*[1]. *Maître François Villon, banni de France, s'était vers lui retiré. Il*

---

1. Il s'agirait plutôt d'Édouard IV, étant donné que Villon, en 1463, fut banni de France pour une durée de dix ans, et qu'Édouard V ne monta sur le trône qu'en 1483, l'année même où il fut assassiné.

l'avait en si grande privauté reçu que rien ne lui celait des menus négoces de sa maison. Un jour le roi susdit, étant à ses affaires, montra à Villon les armes de France en peinture, et lui dit : « Vois-tu quelle révérence je porte à tes rois français ? Ailleurs n'ai-je leurs armoiries qu'en ce retrait-ci, près ma chaise percée... », texte à la suite duquel Rabelais cite, avec des variantes, le quatrain (ici page 158) *Je suis françois, dont il me poise...*

C'est après l'affaire du collège de Navarre que Villon aurait écrit *Le Petit Testament*, ou *Lais*, parodie de legs – en huitains d'octosyllabes, comme plus tard les strophes du *Testament* – dans lequel le poète rétribue symboliquement ses amis et se moque de ses ennemis.

À cette même époque, Villon se rapproche d'une société criminelle plus ou moins secrète, « les compagnons de la Coquille, ou Coquillards ». Rien ne permet d'affirmer qu'il en fit partie, mais il en connaissait les usages, les codes, et surtout le jargon, puisque nous possédons entre six et onze ballades en jargon (le chiffre varie en raison des conjectures d'attribution), dont la compréhension reste aléatoire et la signification ambiguë malgré de nombreux essais de « traduction » – ce que je ne n'ai pas tenté dans cette édition.

Ce sont là les seuls éléments et dates probables que l'Histoire a retenus concernant François Villon. Tout le reste est supputation, et nous n'essaierons pas de « combler les lacunes » – d'autres s'y sont risqués, avec parfois le bonheur qu'apportent la fiction, la conjecture. Quant à son œuvre, elle a connu un succès immédiat. Sa diffusion imprimée en témoigne : seize éditions entre l'édition princeps de 1489, chez Pierre Levet, et la première édition critique et commentée de ses *Œuvres* par Clément Marot en 1532. Depuis plus de cinq cents ans, et après les centaines d'éditions qui se sont succédé, les petits écoliers de France sont nourris – plus ou moins, et malheureusement de moins en moins – par des vers qui, étonnamment, ne veulent pas vieillir et ne *passeront* jamais : *J'ouïs la cloche de Sorbonne, / Qui toujours à neuf heures sonne / Le salut que l'ange prédit... Je plains le temps de ma jeunesse... Corps féminin qui tant es tendre... Sur le Noël, morte saison, / Que les loups se vivent de vent...* Sans parler, bien sûr, de la *Ballade des pendus,* de la *Ballade des Dames du temps jadis,* de celle de *la Grosse Margot...*

Foin des églogues, de la poésie bucolique, Villon est poète de la ville, mais il est avant tout poète des pauvres et des escrocs, des truands, de la disette, de la souffrance et de la mort. Les romantiques l'ont bien senti, qui n'ont pas été étrangers au renouveau de sa gloire, à instar de Théophile Gautier, qui inaugura avec une étude sur Villon sa série des « grotesques », textes critiques sur les « petits » auteurs des XVIᵉ et XVIIᵉ siècles.

Quant à Baudelaire et Verlaine – eux aussi passablement « urbains », ils lui voueront un véritable culte.

Par rapport aux éditions Arléa en français moderne des *Essais* de Montaigne et du *Gargantua* et *Pantagruel* de Rabelais, la modernisation de l'orthographe s'est montrée ici plus ardue, du fait qu'il s'agit de vers, qui obligent au respect de la rime et du mètre. Cependant, chaque fois que cela était possible – c'est-à-dire quand la modification ne se heurtait pas aux règles prosodiques – j'ai modernisé le mot ou l'expression dont le sens a changé depuis l'époque de Villon. Pour toutes les autres occurrences, j'ai eu recours aux crochets entre lesquels j'ai « traduit » en leur équivalent moderne les mots – ou les formules – obsolètes.

Il me paraît qu'un bon usage de cette édition serait de lire une fois chaque strophe sans tenir compte des crochets, pour la musique et le rythme, puis de la lire une seconde fois en s'aidant des « traductions » pour arriver à une intelligence relativement aisée du texte. Mais chacun, puisqu'il s'agit de poésie, doit suivre son goût et ses préférences, et chacun, j'en suis sûr, inventera sa façon de lire, sa façon d'aimer.

Enfin, à tous ceux qui, s'entêtant à ne pas mouiller les « l » de Villon, prononcent « Vilon », je signale que le poète, en ses vers, a fait rimer son nom successivement avec aiguillon, bouillon, carillon, corbillon, couillon, écouvillon, à genouillon, goupillon, haillon, pavillon, rayon, sillon, souillon, tourbillon et vermillon...

C. P.

LE LAIS [*legs*]

I

L'an [*mille*] quatre cent cinquante-six,
Je, François Villon, écolier,
Considérant, de sens rassis,
Le frein aux dents, franc au collier,
Qu'on doit ses œuvres conseill[i]er [*peser ses actes*],
Comme Vegèce le raconte,
Sage Romain, grand conseill[i]er,
Ou autrement on se mécompte...

II

En ce temps que j'ai dit devant [*avant*],
Sur le Noël, morte saison,
Que les loups se vivent de vent
Et qu'on se tient en sa maison,
Pour le [*à cause du*] frimas, près du tison,
Me vint un vouloir de briser
La très amoureuse prison
Qui soulait [*avait l'habitude de*] mon cœur débriser.

III

Je le fis en telle façon,
Voyant celle devant mes yeux
Consentant à ma défaçon [*destruction*],
Sans ce que jà [*déjà*] lui en fût mieux ;
Dont je me deuil [*je souffre*] et plains aux cieux,

11

En requérant d'elle vengeance
À tous les dieux vénérieux [*de l'amour*],
Et du grief d'amours allégeance[1].

IV

Et si j'ai pris en ma faveur
Ces doux regards et beaux semblants
De très décevante saveur
Me transperçant jusques aux flancs,
Bien ils ont vers moi les pieds blancs[2]
Et me faillent [*manquent*] au grand besoin.
Planter me faut autres complants
Et frapper en un autre coin[3].

V

Le regard de celle m'a pris
Qui m'a été félonne et dure :
Sans ce qu'en rien aie mépris [*aie mal agi*],
Veut et ordonne que j'endure
La mort, et que plus je ne dure ;
Si [*aussi*] n'y vois secours que f[o]uir.
Rompre veut la vive soudure [*vivante alliance*],
Sans mes piteux regrets ouïr !

---

1. « Et allègement des peines d'amour ». « Grief » ne compte ici qu'une syllabe.
2. « Je ne puis me fier à eux ».
3. « Et user d'une autre monnaie ».

VI

Pour obvier à ces dangers,
Mon mieux est, ce crois, de f[o]uir.
Adieu ! Je m'en vais à Angers :
Puisqu'ell' ne me veut impartir [*accorder*]
Sa grâce, il me convient partir.
Par elle meurs, les membres sains ;
Au fort [*en fait*], je suis amant martyr
Du nombre des amoureux saints.

VII

Combien que le départ me soit
Dur, si faut-il que je l'élo[i]gne [*la quitte*] :
Comme mon pauvre sens conçoit,
Autre que moi est en quelogne [*en faveur*],
Dont oncques [*jamais*] soret [*hareng*] de Boulogne
Ne fut plus alteré d'humeur [*desséché*].
C'est pour moi piteuse besogne :
Dieu en veuille ouïr ma clameur !

VIII

Et puisque départir me faut,
Et du retour ne suis certain
(Je ne suis homme sans défaut
Ni qu'autre d'acier ni d'étain ;
Vivre aux humains est incertain,
Et après mort n'y a relais,
Je m'en vais en pays lointain),
Si établis ce présent lais [*legs*].

IX

Premièrement, au nom du Père,
Du Fils et du Saint Esperit,
Et de sa glorieuse Mère
Par qui grâce [*par la grâce de qui*] rien ne périt,
Je laisse, de par Dieu, mon bruit [*renommée*]
À maître Guillaume Villon,
Qui en l'honneur de son nom bruit,
Mes tentes et mon pavillon[1].

X

Item, à celle que j'ai dit,
Qui m'a si durement chassé
Que je suis de joie interdit
Et de tout plaisir déchassé [*exclu*],
Je laisse mon cœur enchassé,
Pâle, piteux, mort et transi :
Elle m'a ce mal pourchassé [*inoculé*],
Mais Dieu lui en fasse merci [*miséricorde*] !

XI

Item, à maître Ythier Marchant,
Auquel je me sens très tenu,
Laisse mon brant [*épée*] d'acier tranchant,
Ou à maître Jean le Cornu,
Qui est en gage détenu

---

1. Tente et pavillon sont synonymes et désignent des abris de campagne, des demeures précaires, des domiciles imprécis.

Pour un écot huit sols montant ;
Si veux, selon le contenu [*ce qui est dit ici*],
Qu'on leur livre, en le rachetant.

XII

Item, je laisse à Saint-Amant
Le Cheval Blanc, avec *La Mule*,
Et à Blaru mon diamant
Et *L'Âne rayé* qui recule.
Et le décret qui articule
Omnis utiusque sexus[1],
Contre la Carmélite bulle
Laisse aux curés, pour mettre sus [*à la place*].

XIII

Et à maître Robert Valée
Pauvre clergeot en Parlement,
Qui n'entend ni mont ni vallée,
J'ordonne principalement
Qu'on lui baille [*donne*] légèrement
Mes braies [*culottes*], étant aux *Trumillières*,
Pour coiffer plus honnêtement
S'amie Jeanne de Millières.

---

1. « Toute personne de l'un ou l'autre sexe ». La « bulle Carmélite » reconnaissait aux ordres mendiants le pouvoir d'entendre quiconque en confession.
Le décret *Omnis utriusque sexus* ne reconnaissait ce droit qu'aux curés.

XIV

Pour ce qu'il est de lieu [*milieu*] honneste,
Faut qu'il soit mieux récompensé,
Car Saint-Esperit l'admoneste,
Obstant ce qu'il est [*bien qu'il soit*] insensé :
Pour ce, je me suis pourpensé [*j'ai pensé*],
Puisqu'il n'a sens ni qu'une aumoire [*armoire*],
À recouvrer sur Maupensé,
Qu'on lui baille *L'Art de mémoire.*

XV

Item, pour assigner [*assurer*] la vie
Du dessus-dit maître Robert,
(Pour Dieu, n'y ayez point d'envie !)
Mes parents, vendez mon haubert [*cotte de mailles*],
Et que l'argent, ou la plupart,
Soit employé, dedans [*avant*] ces Pâques,
À acheter à ce poupart
Une fenêtre emprès Saint-Jacques[1].

XVI

Item, laisse et donne en pur don
Mes gants et ma huque [*casaque*] de soie
À mon ami Jacques Cardon,
Le gland aussi d'une saussoie[2],

1. « Une échoppe d'écrivain près de Saint-Jacques ». Le quartier Saint-Jacques-de-la-Boucherie était celui des écrivains publics.
2. En considérant l'humour propre à Villon, peut-être faut-il lire ici dans le

Et tous les jours une grasse oie
Et un chapon de haute graisse,
Dix muids de vin blanc comme croie [*craie*],
Et deux procès, que [*afin que*] trop n'engraisse.

XVII

Item, je laisse à ce noble homme,
Régnier de Montigny, trois chiens ;
Aussi à Jean Raguier la somme
De cent francs, pris sur tous mes biens.
Mais quoi ? Je n'y comprends en rien[s]
Ce que je pourrai acquérir :
On ne doit trop prendre des [*priver les*] siens,
Ni son ami trop surquérir [*solliciter*].

XVIII

Item, au seigneur de Grigny
Laisse la garde de Nijon,
Et six chiens plus qu'à Montigny,
Vicêtre, châtel et donjon ;
Et à ce malotru changeon[1],
Mouton, qui le tient en procès,
Laisse trois coups d'un escourgeon [*étrivière*],
Et coucher, paix et aise, ès ceps [*dans les fers*].

---

terme *gland* – souvent employé, alors, pour désigner la nourriture des pauvres –, les maigres revenus d'une saulaie.
1. On appelait *changeon* (*chanjon*) une créature supposée substituée par le diable lors de sa naissance. Le mot a pris ensuite le sens d'avorton.

XIX

Et à maître Jacques Raguier
Laisse *L'Abreuvouër Popin*,
Pêches, poires, sucre, figuier,
Toujours le choix d'un bon lopin [*morceau*],
Le trou [*trognon*] de *La Pomme de Pin*,
Clos et couvert, au feu la plante [*des pieds*],
Emmailloté en jacopin [*prêcheur*] ;
Et qui voudra planter, si [*qu'il*] plante.

XX

Item, à maître Jean Mautaint
Et maître Pierre Basanier,
Le gré [*l'indulgence*] du seigneur qui atteint
Troubles, forfaits sans épargner ;
Et à mon procureur Fournier,
Bonnets courts, chausses semellées
Taillées sur mon cordouannier
Pour porter durant ces gelées.

XXI

Item à Jean Trouvé, boucher,
Laisse *Le Mouton* franc et tendre,
Et un tacon [*fouet*] pour émoucher
Le Bœuf Couronné qu'on veut vendre,
Et *La Vache* : qui pourra prendre
Le vilain qui la trousse au col [*porte sur ses épaules*],
S'il ne la rend, qu'on le puît pendre
Et étrangler d'un bon licol !

XXII

Item, au chevalier du Guet
Le Hëaume lui établis ;
Et aux piétons qui vont d'aguet
Tâtonnant par ces établis [*étals*],
Je leur laisse leur beau riblis [*coupe-gorge*],
La Lanterne a la Pierre au lait.
Voire, mais j'aurai *Les Trois Lis*,
S'ils me mènent en Châtelet.

XXIII

Item, à Perrenet Marchant,
Qu'on dit le Bâtard de la Barre,
Pour ce qu'il est très bon marchand,
Lui laisse trois gluyons de foerre [*bottes de paille*]
Pour étendre dessus la terre
À faire l'amoureux métier,
Où il lui faudra sa vie querre [*gagner*],
Car il ne sait autre métier.

XXIV

Item, au Loup et à Cholet
Je laisse à la fois [*à chacun*] un canard
Pris sur les murs, comme on souloit [*avait l'habitude*],
Envers les fossés, sur le tard,
Et à chacun un grand tabart [*manteau*]
De Cordelier jusques aux pieds,
Bûche, charbon et pois au lard,
Et mes houseaux [*guêtres*] sans avant-pieds.

XXV

Derechef, je laisse, en pitié,
À trois petits enfants tout nus
Nommés en ce présent trait[i]é,
Pauvres orphelins impourvus,
Tout déchaussés, tout dépourvus,
Et dénués [*nus*] comme le ver ;
J'ordonne qu'ils soient pourvus
Au moins pour passer cet hiver.

XXVI

Premièrement, Colin Laurens,
Girard Gossouin et Jean Marceau,
Dépourvus de biens, de parents,
Qui n'ont vaillant l'anse d'un seau,
Chacun de mes biens un faisceau,
Ou quatre blancs [*pièces d'argent*], s'ils l'aiment mieux.
Ils mangeront maint bon morceau,
Les enfants, quand je serai vieux !

XXVII

Item, ma nomination,
Que j'ai de l'Université,
Laisse par résignation
Pour séclure [*préserver*] d'adversité
Pauvres clercs de cette cité
Sous cet *intendit* [*acte*] contenus ;
Charité m'y a incité,
Et Nature, les voyant nus :

XXVIII

C'est maître Guillaume Cotin
Et maître Thibaut de Vitry,
Deux pauvres clercs parlant latin,
Paisibles enfants, sans étry [*malice*],
Humbles, bien chantant[s] au lectry [*lutrin*] ;
Je leur laisse cens [*loyer*] recevoir
Sur la maison Guillot-Gueuldry
En attendant de mieux avoir.

XXIX

Item, et j'adjoins à la crosse [*par-dessus le marché*]
Celle [*la crosse, ie l'enseigne*] de la rue Saint-Antoine,
Ou un billard de quoi on crosse,
Et tous les jours plein pot de Seine ;
Aux pigeons qui sont en l'essoine [*en peine*],
Enserrés sous trappe volière [*cage*],
Mon mirouër bel et idoine
Et la grâce de la geolière.

XXX

Item, je laisse aux hôpitaux
Mes chassis [*châlits*] tissus d'araignée ;
Et aux gisants sous les étaux,
Chacun sur l'œil une grognée [*un coup*],
Trembler à chère [*visage*] renfrognée,
Maigres, velus et morfondus [*morveux*],
Chausses courtes, robe rognée,
Gelés, murdris et enfondus [*meurtris et trempés*].

XXXI

Item, je laisse à mon barbier
Les rognures de mes cheveux,
Pleinement et sans destourbier [*condition*] ;
Au savetier mes souliers vieux,
Et au fripier mes habits tieux [*tels*]
Que, quand du tout je les délaisse.
Pour moins qu'ils ne coûtèrent neufs,
Charitablement je leur laisse.

XXXII

Item, je laisse aux Mendiants,
Aux Filles-Dieu et aux Béguines,
Savoureux morceaux et friands,
Flans, chapons et grasses gelines,
Et puis prêcher les Quinzes Signes[1],
Et abattre pain à deux mains.
Carmes chevauchent nos voisines,
Mais cela, ce n'est que du mains [*le moins important*].

XXXIII

Item, laisse *Le Mortier d'or*
À Jean, l'épicier, de la Garde,
Une potence de Saint-Mor[2]
Pour faire un broyer [*pilon*] à moutarde.

---

1. Les « signes » devant annoncer le Jugement dernier.
2. Saint Maur était censé guérir de la goutte. La « potence » est ici une béquille en guise d'ex-voto.

À celui qui fit l'avant-garde
Pour faire sur moi griefs exploits[1],
De par moi saint Antoine l'arde [*le fasse brûler*] !
Je ne lui ferai autre lais [*legs*].

XXXIV

Item, je laisse à Mèrebeuf
Et à Nicolas de Louvieux
À chacun l'écaille d'un œuf,
Pleine de francs et d'écus vieux.
Quant au concierge de Gouvieux,
Pierre de Rousseville, ordonne,
Pour le donner entendre mieux,
Écus tels que le Prince [*des Sots*] donne.

XXXV

Finalement, en écrivant,
Ce soir, seulet, étant en bonne,
Dictant ce lais [*legs*] et décrivant,
J'ouïs la cloche de Sorbonne,
Qui toujours à neuf heures sonne
Le Salut que l'Ange prédit [*l'Angelus*] ;
Si suspendis et y mis bonne [*borne*]
Pour prier comme le cœur dit.

---

1. On peut traduire ces deux vers par : « À celui qui le premier porta contre moi de lourdes accusations ».

XXXVI

Ce faisant, je m'entroubliai,
Non pas par force de vin boire,
Mon esperit comme lié ;
Lors je sentis dame Mémoire
Reprendre et mettre en son aumoire [*armoire*]
Ses espèces collatérales [*qui dépendent d'elle*],
Opinative fausse et voire,
Et autres intellectualles [*fonctions de l'intellect*],

XXXVII

Et mêmement l'estimative,
Par quoi prospective nous vient,
Similative, formative,
Desquelles souvent il advient
Que, par leur trouble, homme devient
Fol et lunatique par mois :
Je l'ai lu, si bien m'en souvient,
En Aristote aucunes [*certaines*] fois.

XXXVIII

Dont le sensitif s'éveilla
Et évertua Fantaisie [*piqua l'imagination*],
Qui tous organes réveilla,
Et tint la souvraine partie [*qualité ; ici la raison*]
En suspens et comme amortie
Par oppression d'oubliance
Qui en moi s'était épartie [*dispersée*]
Pour montrer des sens l'alliance.

24

XXXIX

Puisque mon sens fut à repos
Et l'entendement démêlé,
Je cuidai finer [*croyais finir*] mon propos ;
Mais mon encre trouvai gelé[*e*]
Et mon cierge trouvai soufflé ;
De feu je n'eusse pu finer [*obtenir*] ;
Si m'endormis, tout emmouflé [*mains en mouffles*],
Et ne pus autrement finer [*finir*].

XL

Fait au temps de ladite date
Par le bien renommé Villon,
Qui ne mange figue ni date.
Sec et noir comme écouvillon,
Il n'a tente ni pavillon
Qu'il n'ait laissé[s] à ses amis,
Et n'a mais [*plus*] qu'un peu de billon [*monnaie de cuivre*]
Qui sera tantôt à fin mis [*vite dépensé*].

LE TESTAMENT

I

En l'an de mon trentième âge,
Que toutes mes hontes j'eus bues,
Ni du tout [*tout à fait*] fol, ni du tout sage,
Nonobstant maintes peines eues,
Lesquelles j'ai toutes reçues
Sous la main Thibaut d'Aussigny...
S'évêque il est, signant [*bénissant*] les rues,
Qu'il soit le mien je le regny [*nie*] !

II

Mon seigneur n'est ni mon évêque,
Sous lui ne tiens, s'il n'est en friche ;
Foi ne lui dois n'hommage avecque,
Je ne suis son serf ni sa biche.
Pu [*repu*] m'a d'une petite miche
Et de froide eau tout un été ;
Large ou étroit, mout me fut chiche :
Tel lui soit Dieu qu'il m'a été !

III

Et s'aucun [*si quelqu'un*] me voulait reprendre
Et dire que je le maudis,
Non fais, si bien le sait comprendre ;
En rien de lui je ne médis.

Voici tout le mal que j'en dis :
S'il m'a été misericors,
Jésus, le roi de Paradis,
Tel lui soit à l'âme et au corps !

IV

Et s'été m'a dur et cruel
Trop plus que ci ne le raconte,
Je veux que le Dieu éternel
Lui soit donc semblable à ce compte...
Et l'Église nous dit et conte
Que prions pour nos ennemis !
Je vous dirai : « J'ai tort et honte,
Quoi qu'il m'ait fait, à Dieu remis [*je m'en remets à Dieu*] ! »

V

Si prierai pour lui de bon cœur,
Par l'âme du bon feu Cotart.
Mais quoi ? ce sera donc par cœur,
Car de lire je suis fêtard [*paresseux*] :
Prière en ferai de Picard [*ie : silencieuse*] ;
S'il ne la sait, voise [*qu'il aille*] l'apprendre,
S'il m'en croit, ains [*avant*] qu'il soit plus tard,
À Douai ou à Lille en Flandre !

VI

Combien si ouïr veut qu'on prie
Pour lui, foi que dois mon baptême !

Obstant [*bien*] qu'à chacun ne le crie,
Il ne faudra pas à son être[1].
Au Psautier prends, quand suis à même,
Qui n'est de bœuf ni cordouan [*pas relié de cuir*],
Le verselet écrit septième
Du psaume *Deus laudem*[2].

VII

Si prie au benoît fils de Dieu,
Qu'à tous mes besoins je réclame,
Que ma pauvre prière ait lieu
Vers lui, de qui tiens corps et âme,
Qui m'a préservé de maint blâme
Et franchi [*libéré*] de vile puissance,
Loué soit-il, et Notre-Dame,
Et Louis [*XI*], le bon roi de France,

VIII

Auquel doint [*donne*] Dieu l'heur [*bonheur*] de Jacob
Et de Sal[o]mon l'honneur et gloire,
(Quant de prouesse, il en a trop,
De force aussi, par m'âme ! voire),
En ce monde-ci transitoire,
Tant qu'il a de long ni de lé [*large*],
Afin que de lui soit mémoire
Vive autant que Mathusalé !

---

1. « Son attente – son *esme*, ou *ême* – ne sera pas déçue ».
2. Le septième verset du Psaume CVIII de David : « Lorsqu'on le jugera, qu'il sorte condamné, et que même sa prière soit un crime ! »

IX

Et douze beaux enfants, tous mâles,
Voire de son cher sang royal,
Aussi preux que fut le grand Charles [*Charlemagne*]
Conçus en ventre nuptial,
Bons comme fut saint Martial [*Martin*] !
Ainsi en preigne [*advienne*] au feu Dauphin !
Je ne lui souhaite autre mal,
Et puis Paradis en la fin.

X

Pour ce que faible je me sens
Trop plus de biens que de santé,
Tant que je suis en mon plein sens,
Si peu que Dieu m'en a prêté,
Car d'autre ne l'ai emprunté,
J'ai ce Testament très estable [*définitif*]
Fait, de dernière volonté,
Seul pour tout et irrévocable.

XI

Écrit l'ai l'an [*mille quatre cent*] soixante et un
Que le bon roi me délivra
De la dure prison de Meun[g],
Et que vie me recouvra,
Dont suis, tant que mon cœur vivra,
Tenu vers lui m'humilier,
Ce que ferai tant qu'il mourra [*jusqu'à sa mort*] :
Bienfait ne se doit oublier.

XII

Or est vrai qu'après plaints et pleurs
Et angoisseux gémissements,
Après tristesses et douleurs,
Labeurs et griefs [*douloureux*] cheminements,
Travail [*douleur*] mes lubres [*instables*] sentiments,
Aiguisés comme une pelote,
M'ouvrit plus que tous les Comments [*Commentaires*]
D'Averroès sur Aristote.

XIII

Combien qu'au plus fort de mes maux,
En cheminant sans croix ni pile [*face ni pile : au hasard*],
Dieu, qui les pèlerins d'Emmaus
Conforta, ce dit l'Évangile,
Me montra une bonne ville
Et pourvut du don d'espérance ;
Combien que le pécheur soit vile,
Rien ne hait que persévérance.

XIV

Je suis pécheur, je le sais bien ;
Pourtant ne veut pas Dieu ma mort,
Mais [*que je me*] convertisse et vive en bien,
Et tout autre que péché mord.
Combien qu'en péché soie [*sois*] mort,
Dieu vit, et sa miséricorde,
Si conscience me remord,
Par sa grâce pardon m'accorde.

XV

Et, comme le noble *Roman[t]*
De la Rose dit et confesse
En son premier commencement
Qu'on doit jeune cœur en jeunesse,
Quand on le voit vieil en vieillesse,
Excuser, hélas ! il dit voir.
Ceux donc qui me font telle presse
En murté [*en âge mûr*] ne me voudraient voir.

XVI

Si, pour [*grâce à*] ma mort, le bien publique
D'aucune [*de certaine*] chose vausît [*valût*] mieux,
À mourir comme un homme inique
Je me jugeasse, ainsi m'aît [*m'assiste*] Dieu[x] !
Griefs [*torts*] ne fais à jeunes n'à vieux,
Soie [*que je sois*] sur pieds ou soie en bière :
Les monts ne bougent de leurs lieux,
Pour un pauvre, n'avant n'arrière.

XVII

Au temps qu'Alexandre régna,
Un hom' nommé Diomédès
Devant lui on lui amena,
Engrillonné [*entravé*] pouces et dès [*doigts*]
Comme un larron, car il fut des
Écumeurs que voyons courir ;
Si fut mis devant ce cadès [*chef*],
Pour être jugé à mourir.

34

XVIII

L'empereur si [*ainsi*] l'araisonna :
« Pourquoi es-tu larron de mer ? »
L'autre réponse lui donna :
« Pourquoi larron me fais nommer ?
Pour ce qu'on me voit écumer
En une petiote fuste [*barque*] ?
Si comme toi me pusse armer,
Comme toi empereur je fusse[1].

XIX

« Mais que veux-tu ? De ma fortune [*sort*],
Contre qui ne puis bonnement,
Qui si faussement me fortune [*traite*],
Me vient tout ce gouvernement [*manière d'agir*].
Excuse-moi aucunement,
Et sache qu'en grand pauvreté,
Ce mot se dit communément,
Ne gît pas grande loyauté. »

XX

Quand l'empereur eut remiré [*soupesé*]
De Diomédès tout le dit :
« Ta fortune je te muerai
Mauvaise en bonne », si [*ainsi*] lui dit,
Si [*ainsi*] fit-il. Onc puis [*jamais après*] ne médit

1. Que « fusse » rime avec « fuste » implique que « fuste » se prononçait probablement « fus' ».

À [*de*] personne, mais fut vrai [*juste*] homme,
Valère pour vrai le baudit [*le donne*],
Qui fut nommé le Grand [*Maxime*] à Rome.

XXI

Si Dieu m'eût donné rencontrer
Un autre piteux [*compatissant*] Alexandre
Qui m'eût fait en bonheur entrer,
Et lors qui m'eût vu condescendre [*me laisser aller*]
À mal, être ars [*brûlé*] et mis en cendre
Jugé [*condamné*] me fusse de ma voix :
Nécessité fait gens méprendre
Et faim saillir le loup du bois.

XXII

Je plains [*regrette*] le temps de ma jeunesse
(Auquel j'ai plus qu'autre galé [*mené joyeuse vie*]
Jusqu'à l'entrée de vieillesse)
Qui son partement m'a celé [*m'a caché son départ*].
Il ne s'en est à pied allé
N'a cheval : hélas ! comment don[*c*] ?
Soudainement s'en est volé
Et ne m'a laissé quelque don.

XXIII

Allé s'en est, et je demeure,
Pauvre de sens et de savoir,
Triste, failli [*abattu*], plus noir que meure [*mûre*],

Qui n'ai cens [*fermage*], ni rente, n'avoir ;
Des miens le moindre, je dis voir [*je gage*],
De me désavouer s'avance,
Oubliant naturel devoir
Par faute d'un peu de chevance [*bien*].

XXIV

Si ne crains avoir dépendu [*dépensé*]
Par friander [*gourmandise*] ni par lécher [*amusement*] ;
Par trop aimer n'ai rien vendu
Qu'amis me puissent reprocher,
Au moins qui leur coûte moult cher.
Je le dis et ne crois médire [*mentir*] ;
De ce je me puis revancher :
Qui n'a méfait ne le doit dire.

XXV

Bien est verté [*vérité*] que j'ai aimé
Et aimeroie volontiers ;
Mais triste cœur, ventre affamé
Qui n'est rassasié au tiers
M'ôte des amoureux sentiers.
Au fort, quelqu'un s'en récompense
Qui est rempli sur les chantiers[1] !
Car la danse vient de la panse.

1. On peut traduire ces deux vers par : « Après tout, qu'il se paie du bon temps, celui qui a le ventre plein ! ».

XXVI

Hé ! Dieu, si j'eusse étudié
Au temps de ma jeunesse folle
Et à bonnes mœurs dédié [*sacrifié*],
J'eusse maison et couche molle.
Mais quoi ? je fuyais l'école,
Comme fait le mauvais enfant.
En écrivant cette parole
À peu [*peu s'en faut*] que le cœur ne me fend.

XXVII

Le dit du Sage trop lui fis
Favorable (bien en puis mais[1] !),
Qui dit : « Éjouis-toi, mon fils,
En ton adolescence » ; mais
Ailleurs sert bien d'un autre mets,
Car « jeunesse et adolescence,
C'est son parler, ni moins ni mais [*plus*],
Ne sont qu'abus et ignorance ».

XXVIII

Mes jours s'en sont allés errant
Comme, dit Job, d'une touaille [*toile*]
Font les filets [*fils*], quand tisserand
En son poing tient ardente paille :
Lors, s'il y a nul [*quelque*] bout qui saille,

---

1. On peut traduire ces deux vers par : « Je pris à sens trop favorable le mot du Sage [*l'Ecclésiaste*] (je pourrais le faire plus encore ! »).

Soudainement il le ravit.
Si [*aussi*] ne crains plus que rien m'assaille,
Car à la mort tout s'assouvit [*s'achève*].

XXIX

Où sont les gracieux galants
Que je suivais au temps jadis,
Si bien chantant, si bien parlant[*s*],
Si plaisants en faits et en dits ?
Les aucuns [*certains*] sont morts et raidis,
D'eux n'est-il plus rien maintenant :
Repos aient en paradis,
Et Dieu sauve le remenant [*celui qui reste*] !

XXX

Et les autres sont devenus,
Dieu merci ! grands seigneurs et maîtres ;
Les autres mendient tout nus
Et pain ne voient qu'aux fenêtres [*devantures*] ;
Les autres sont entrés en cloîtres
De Célestins ou de Chartreux,
Bottés, housés [*guêtrés*] com' pêcheurs d'oîtres [*huîtres*] :
Voyez l'état divers d'entre eux !

XXXI

Aux grands maîtres doint [*donne*] Dieu bien faire,
Vivant[s] en paix et en requoi [*repos*] ;
En eux il n'y a que refaire,

Si [*aussi*] s'en fait bon taire tout coi.
Mais aux pauvres qui n'ont de quoi,
Comme moi, doint Dieu patience !
Aux autres ne faut [*manque*] qui ni quoi,
Car assez ont vin et pitance.

XXXII

Bons vins ont, souvent embrochés [*mis en perce*],
Sauces, brouets et gros poissons,
Tartes, flans, œufs frits et pochés,
Perdus[1] et en toutes façons.
Pas ne ressemblent les maçons,
Que servir faut à si grand peine[2] :
Ils ne veulent nuls échansons,
De soi verser [*se servir*] chacun se peine.

XXXIII

En cet incident me suis mis [*j'ai fait cette digression*]
Qui de rien ne sert à mon fait ;
Je ne suis juge, ni commis
Pour punir n'absoudre méfait :
De tous suis le plus imparfait,
Loué soit le doux Jésus-Christ !
Que par moi leur soit satisfait !
Ce que j'ai écrit est écrit.

---

1. Le *Ménager de Paris* donne la recette, curieuse, des « œufs perdus » :
« Rompez l'écaille et jetez moyeux [*jaunes*] et aubuns [*blancs*] sur charbons
ou sur braise bien chaude, et après les nettoyez et mangez. »
2. « Servir les maçons », d'après Littré, signifiait être soumis à une besogne
ou une existence pénible.

XXXIV

Laissons le moûtier [*cloître*] où il est ;
Parlons de chose plus plaisante :
Cette matière à tous ne plaît,
Ennuyeuse est et déplaisante.
Pauvreté, chagrine et dolente,
Toujours dépiteuse [*arrogante*] et rebelle,
Dit quelque parole cuisante ;
S'elle n'ose, si la pense-elle.

XXXV

Pauvre je suis de [*depuis*] ma jeunesse,
De pauvre et de petite extrace [*lignée*].
Mon père n'eut onc [*jamais*] grand richesse,
Ni son aïeul nommé Horace.
Pauvreté tous nous suit et trace [*à la trace*].
Sur les tombeaux de mes ancêtres,
Les âmes desquels Dieu embrasse !
On n'y voit couronnes ni sceptres.

XXXVI

De pauvreté me guermentant [*me plaignant*],
Souventes fois me dit le cœur :
« Homme, ne te doulouse [*lamente*] tant
Et ne démène tel' douleur
Si tu n'as tant qu'eut Jacques Cœur :
Mieux vaut vivre sous gros bureau [*étoffe de bure*]
Pauvre, qu'avoir été seigneur
Et pourrir sous riche tombeau ! »

XXXVII

Qu'avoir été seigneur !... Que dis ?
Seigneur, las ! et ne l'est-il mais [*plus*] ?
Selon les davitiques dits [*Psaumes de David*],
Son lieu [*sa place*] ne connaîtras jamais.
Quant du surplus, je m'en démets :
Il n'appartient à moi, pécheur ;
Aux théologiens le remets,
Car c'est office de prêcheur.

XXXVIII

Si ne suis, bien le considère,
Fils d'ange portant diadème
D'étoile ni d'autre sidère [*astre*].
Mon père est mort, Dieu en ait l'âme !
Quant est du corps, il gît sous lame [*dalle*].
J'entends que ma mère mourra,
Et le sait bien, la pauvre femme,
Et le fils pas ne démourra [*survivra*].

XXXIX

Je connais que pauvres et riches,
Sages et fous, prêtres et lais [*laïcs*],
Nobles, vilains, larges et chiches,
Petits et grands, et beaux et laids,
Dames à rebrassés [*retroussés*] collets,
De quelconque condition,
Portant atours et bourrelets,
Mort saisit sans exception.

XL

Et meure Pâris ou Hélène,
Quiconque meurt meurt à douleur
Telle qu'il perd vent [*souffle*] et haleine ;
Son fiel se crève sur son cœur,
Puis sue, Dieu sait quel[le] sueur !
Et n'est qui de ses maux l'allège :
Car enfant n'a frère ni sœur
Qui lors vousît [*voudrait*] être son pleige [*à sa place*].

XLI

La mort le fait frémir, pâlir,
Le nez courber, les veines tendre,
Le col enfler, la chair mollir,
Jointes [*articulations*] et nerfs croître et étendre.
Corps féminin, qui tant es tendre,
Poli, souef [*suave*], si précieux,
Te faudra-t-il ces maux attendre ?
Oui, ou tout vif aller ès Cieux.

Ballade [Ballade des dames du temps jadis]

Dites-moi où, n'en quel pays,
Est Flora la belle Romaine,
Archipiade[1], ni Thaïs,
Qui fut sa cousine germaine ;
Écho parlant quand bruit on mène
Dessus rivière ou sus étang,
Qui beauté eut trop plus qu'humaine.
Mais où sont les neiges d'antan ?

Où est la très sage Héloïs[e],
Pour qui châtré fut et puis moine
Pierre Esbaillard [*Abélard*] à Saint-Denis ?
Pour son amour eut cette essoine [*épreuve*].
Semblablement où est la reine
Qui commanda que Buridan
Fût jeté en un sac en Seine ?
Mais où sont les neiges d'antan ?

La reine blanche comme lis
Qui chantait à voix de sirène,
Berthe au grand pied, Biétris, Alis,
Haremburgis [*Arembour*] qui tint le Maine,
Et Jeanne, la bonne Lorraine
Qu'Anglais brulèrent à Rouen ;
Où sont-ils [*elles*], où, Vierge souvraine ?
Mais où sont les neiges d'antan ?

Prince, n'enquérez de [*ne cherchez pas cette*] semaine
Où elles sont, ni de cet an,
Qu'à ce refrain ne vous remaine [*ramène*] :
Mais où sont les neiges d'antan ?

1. Alcibiade. Comme tous les lettrés du Moyen Âge, Villon le comptait parmi les grandes dames de l'Antiquité, à la suite de Boèce (Rome 480-524), qui l'avait décrit comme un idéal de beauté.

Autre Ballade [Ballade des seigneurs du temps jadis]

Qui plus, où est le tiers Calixte [*pape Calixte III*],
Dernier décédé de ce nom,
Qui quatre ans tint le papaliste [*pontificat*] ?
Alphonse le roi d'Aragon,
Le gracieux duc de Bourbon,
Et Artus le duc de Breta[i]gne,
Et Charles septième le bon ?
Mais où est le preux Charlema[i]gne ?

Semblablement, le roi scotiste [*Jacques II d'Écosse*]
Qui demi-face eut, ce dit-on,
Vermeille comme une améthyste
Depuis le front jusqu'au menton ?
Le roi de Chypre de renom,
Hélas ! et le bon roi d'Espa[i]gne
Duquel je ne sais pas le nom ?
Mais où est le preux Charlema(i)gne ?

D'en plus parler je me désiste ;
Le monde n'est qu'abusion [*tromperie*].
Il n'est qui contre mort résiste
Ni qui trouve provision [*protection*].
Encor fais une question :
Lancelot le roi de Beha[i]gne [*Lázló, le roi de Bohême*],
Où est-il, où est son tayon [*aïeul*] ?
Mais où est le preux Charlema[i]gne ?

Où est Claquin [*Duguesclin*], le bon Breton ?
Où le comte Dauphin d'Auvergne[1]
Et le bon feu duc d'Alençon ?
Mais où est le preux Charlema[i]gne ?

---

1. Pour rimer avec « Charlemaigne », « Auvergne » devait se prononcer
« Auvaigne ».

Autre Ballade [Ballade en vieux langage français[1]]

Car, ou soit ly sains apostolles [*pape*],
D'aubes vestus, d'amys [*amict*] coeffez,
Qui ne saint [*ceint*] fors [*que*] saintes estolles
Dont par le col prent ly mauffez [*diable*]
De mal talant [*hargne*] tout eschauffez,
Aussi bien meurt que cilz servans,
De ceste vie cy bouffez [*soufflé*] :
Autant en emporte ly vens.

Voire, ou soit de Constantinobles
L'emperieres au poing dorez,
Ou de France ly roy tres nobles
Sur tous autres roys decorez [*glorieux*],
Qui pour ly grans Dieux aourez [*adoré*]
Bastit eglises et couvens,
S'en son temps il fut honnourez,
Autant en emporte ly vens.

Ou soit de Vienne et de Grenobles
Ly Dauphins, ly preux, ly senez [*vieux sage*],
Ou de Dijon, Salins et Doles
Ly sires et ly filz ainsnez [*aîné*],
Ou autant de leurs gens privez,
Heraulx, trompetes, poursuivans,
Ont ilz bien bouté soubz le nez [*bu et mangé*] ?
Autant en emporte ly vens.

Princes à mort sont destinez,
Et tous autres qui sont vivans :
S'ilz en sont courciez [*courroucés*] n'ataynez [*blessés*],
Autant en emporte ly vens.

1. Ce titre oblige à une transcription pure et simple du texte original, sans modernisation de l'orthographe.

XLII

Puisque papes, rois, fils de rois
Et conçus en ventres de reines
Sont ensevelis morts et froids,
En autrui mains passent leurs règnes,
Moi, pauvre mercerot [*colporteur*] de Rennes,
Mourrai-je pas ? Oui, si Dieu plaît ;
Mais que [*si*] j'aie fait mes étrennes [*pris du bon temps*],
Honnête mort ne me déplaît.

XLIII

Ce monde n'est perpétuel,
Quoi que pense riche pillard :
Tous sommes sous mortel coutel.
Ce confort [*consolation*] prend pauvre vieillard,
Lequel d'être plaisant raillard [*railleur*]
Eut le bruit [*réputation*], lorsque jeune était,
Qu'on tendrait à fol et paillard,
Si, vieux, à railler se mettait.

XLIV

Or lui convient-il mendier,
Car à ce [*cela*] force le contraint.
Regrette hui [*souhaite aujourd'hui*] sa mort et hier,
Tristesse son cœur si étreint,
Si, souvent, n'était Dieu qu'il craint,
Il ferait un horrible fait ;
Et advient qu'en ce Dieu enfreint [*en cela désobéit à Dieu*],
Et que lui-même se défait [*détruit*].

XLV

Car s'en jeunesse il fut plaisant,
Ores [*désormais*] plus rien ne dit qui plaise.
Toujours vieux singe est déplaisant,
Moue [*grimace*] ne fait qui ne déplaise,
S'il se taît, afin qu'il complaise,
Il est tenu pour fol recru [*fou exténué*] ;
S'il parle, on lui dit qu'il se taise,
Et qu'en son prunier n'a pas cru [1].

XLVI

Aussi ces pauvres femmelettes
Qui vieilles sont et n'ont de quoi,
Quand ils [*elles*] voient ces pucelettes
Emprunter d'elles à requoi [2]
Ils [*elles*] demandent à Dieu pourquoi
Si tôt naquirent, n'à quel droit.
Notre Seigneur se tait tout coi,
Car au tancer il le perdroit [*dans la dispute il perdrait*].

1. D'après Littré – qui cite à ce propos les quatre derniers vers de ce huitain – l'expresion « sot comme un prunier » voulait dire « très sot ». Le mot « cru », dans ce vers, est un subtantif qui signifie « production », « fruit ».
2. « Prendre tranquillement leur place ».

La vieille en regrettant le temps de sa jeunesse
[Les regrets de la Belle Hëaumière]

XLVII

Avis m'est que j'oy regretter [*j'entends se plaindre*]
La Belle qui fut hëaumière,
Soi jeune fille souhaiter
Et parler en telle manière :
« Ha ! vieillesse félonne et fière [*cruelle*],
Pourquoi m'as si tôt abattue ?
Qui me tient [*retient*] que je ne me fière [*frappe*],
Et qu'à ce coup je ne me tue ?

XLVIII

« Tolu [*ravi*] m'as la haute franchise [*puissance*]
Que beauté m'avait ordonné[e]
Sur clercs, marchands et gens d'Église :
Car lors il n'était homme né
Qui tout le sien [*son bien*] ne m'eût donné
Quoi qu'il en fût des repentailles,
Mais [*pourvu*] que lui cusse abandonné
Ce que refusent truandailles [*les truands*].

XLIX

« À maint homme l'ai refusé,
Qui [*ce qui*] n'était à moi grand sagesse,
Pour l'amour d'un garçon rusé,

Auquel j'en fis grande largesse.
À qui que je fisse finesse,
Par m'âme, je l'aimais bien !
Or ne me faisait que rudesse,
Et ne m'aimait que pour le mien [*mon bien*].

L

« Si ne me sût tant détrainer [*maltraiter*],
Fouler aux pieds, que ne l'aimasse,
Et m'eût-il fait les reins traîner,
S'il m'eût dit que je le baisasse,
Que tous mes maux je n'oubliasse.
Le glouton, de mal entiché [*enclin au mal*]
M'embrassait... J'en suis bien plus grasse !
Que m'en reste-il ? Honte et péché !

LI

« Or il est mort, passé [*il y a*] trente ans,
Et je remains [*reste*] vieille, chenue.
Quand je pense, lasse ! au bon temps,
Quelle fus, quelle devenue !
Quand me regarde toute nue,
Et je me vois si très changée,
Pauvre, sèche, maigre, menue,
Je suis presque tout enragée.

LII

« Qu'est devenu ce front poli,
Cheveux blonds, ces sourcils voutis [*arqués*],
Grand entrœil, ce regard joli,
Dont prenoie les plus soutis [*malins*] ;
Ce beau nez droit, grand ni petis [*petit*],
Ces petites jointes oreilles,
Menton fourchu, clair vis traitis [*visage bien dessiné*],
Et ces belles lèvres vermeilles ?

LIII

« Ces gentes épaules menues,
Ces bras longs et ces mains traitisses [*jolies*],
Petits tétins, hanches charnues,
Élevées, propres, faitisses [*bien faites*]
À tenir amoureuses lices ;
Ces larges reins, ce sadinet [*sexe*]
Assis sur grosses fermes cuisses
Dedans son petit jardinet ?

LIV

« Le front ridé, les cheveux gris,
Les sourcils chus, les yeux éteints,
Qui faisaient regards et ris
Dont maints marchands furent atteints ;
Nez courbes de beauté lointains,
Oreilles pendantes, moussues [*effrangées*],
Le vis [*visage*] pâli, mort et déteint,
Menton froncé, lèvres peaussues [*flétries*] :

LV

« C'est d'humaine beauté l'issue !
Les bras courts et les mains contraites [*déformées*],
Les épaules toutes bossues ;
Mamelles, quoi ? toutes retraites [*atrophiées*] ;
Telles les hanches que les tettes ;
Du sadinet, fi ! Quant des cuisses,
Cuisses ne sont plus, mais cuissettes
Grivelées [*tavelées*] comme saucisses.

LVI

« Ainsi le bon temps regrettons
Entre nous, pauvres vieilles sottes,
Assises bas, à croupetons,
Tout en un tas comme pelotes,
À petit feu de chenevottes [*tiges de chanvre*]
Tôt allumées, tôt éteintes ;
Et jadis fûmes si mignottes !
Ainsi en prend à maints et maintes. »

Ballade [La Belle Hëaumière aux filles de joie]

« Or y pensez, belle Gantière
Qui m'écolière souliez être [*qui aviez coutume d'être*],
Et vous, Blanche la Savetière,
Or est-il temps de vous connaître,
Prenez à dextre ou à senestre ;
N'épargnez homme, je vous prie :
Car vieilles n'ont ni cours ni être,
Ni que monnaie qu'on décrie [*déprécie*].

« Et vous, la gente Saucissière
Qui de danser êtes adestre [*adroite*],
Guillemette la Tapissière,
Ne méprenez vers [*ne méprisez pas*] votre maître :
Tôt vous faudra clore fenêtre [*fermer boutique*],
Quand deviendrez vieille, flétrie,
Plus ne servirez qu'un vieux prêtre,
Ni que monnaie qu'on décrie.

« Jeanneton la Chaperonnière,
Gardez qu'ami ne vous empêtre [*retienne*] ;
Et Catherine la Boursière,
N'envoyez plus les hommes paître :
Car qui belle n'est ne perpètre [*n'endure*]
Leur male grâce [*mauvais accueil*] mais leur rie :
Laide vieillesse amour n'empêtre [*ne recherche*]
Ni que monnaie qu'on décrie.

« Filles, veuillez vous entremettre
D'écouter pourquoi pleure et crie :
Pour ce que je ne me puis mettre [*en circulation*]
Ni que monnaie qu'on décrie. »

LVII

Cette leçon ici leur baille [*donne*]
La belle et bonne de jadis,
Bien dit ou mal, vaille que vaille
Enregistrer [*transcrire*] j'ai fait ces dits
Par mon clerc Firmin l'étourdi[s],
Aussi rassis [*calme*] que je puis être.
S'il me dément, je le maudis :
Selon le clerc est duit [*instruit*] le maître.

LVIII

Si aperçois le grand danger
Auquel homme amoureux se boute [*s'expose*] ;
Et qui me voudrait laidanger [*faire reproche*]
De ce mot, en disant : « Écoute !
Si d'aimer t'étrange et reboute [*te repousse et t'empêche*]
Le barat [*la duperie*] de celles nommées,
Tu fais une bien folle doute [*crainte*],
Car ce sont femmes diffamées [*de mauvaise réputation*].

LIX

« S'ils [*elles*] n'aiment fors [*sauf*] que pour l'argent,
On ne les aime que pour l'heure ;
Rondement aiment toute gent,
Et rient lorsque bourse pleure.
De celles-ci n'est qui ne queure[1] ;
Mais en femmes d'honneur et nom

1. « Il n'est personne qui ne recherche celles-ci ».

Franc homme, si [*que*] Dieu me sequeure [*m'assiste*],
Se doit employer ; ailleurs, non. »

LX

Je prends qu'aucun dise ceci,
Si ne me contente-il en rien.
En effet il conclut ainsi,
Et je le cuide entendre [*crois comprendre*] bien,
Qu'on doit aimer en lieu de bien :
Assavoir mon [*reste à savoir*] si ces fillettes
Qu'en paroles tout[e] jour tien[s] [1],
Ne furent-ils [*elles*] femmes honnêtes ?

LXI

Honnêtes si furent vraiment,
Sans avoir reproches ni blâmes.
Si est vrai qu'au commencement
Une chacune de ces femmes
Lors prirent, ains [*avant*] qu'eussent diffames [*sale réputation*],
L'une un clerc, un lai [*laïc*], l'autre un moine,
Pour éteindre d'amours les flammes
Plus chaudes que feu saint Antoine.

LXII

Or firent selon le décret
Leurs amis, et bien y appert [*apparaît*] ;

---

1. « Avec qui je parle à longueur de journée ».

55

Ils [*elles*] aimaient en lieu secret,
Car autre d'eux n'y avait part.
Toutefois, cette amour se part [*partage*] :
Car celle qui n'en avait qu'un
D'icelui s'éloigne et départ [*quitte*],
Et aime mieux aimer chacun [*tout le monde*].

LXIII

Qui les meut à ce ? J'imagine,
Sans l'honneur des dames blâmer,
Que c'est nature féminine
Qui tout [*chacun*] vivement veut aimer.
Autre chose n'y sais rimer
Fors [*sauf*] qu'on dit à Reims et à Trois [*Troyes*]
Voire à Lille ou à Saint-Omer
Que six ouvriers[1] font plus que trois.

LXIV

Or ont ces fous amants le bond
Et les dames pris la volée[2] ;
C'est le droit loyer qu'amours ont :
Toute foi y est violée,
Quelque doux baiser n'accolée [*ou une étreinte*].
« De chiens, d'oiseaux, d'armes, d'amours,
Chacun le dit à la volée [*spontanément*],
Pour un plaisir mille doulours. »

---

1. « Ouvriers » compte ici deux syllabes.
2. Le « bond », ou rebond, et la « volée » sont des termes du jeu de paume.

Double ballade

Pour ce, aimez tant que voudrez,
Suivez assemblées et fêtes,
En la fin jà [*certes*] mieux n'en vaudrez
Et si n'y romprez que vos têtes ;
Folles amours font les gens bêtes :
Salmon en idolatria [*Salomon en sombra dans l'idolâtrie*],
Samson en perdit ses lunettes [*la vue*].
Bien heureux est qui rien n'y a !

Orphëus [*Orphée*], le doux ménétrier[1],
Jouant de flûtes et musettes,
En fut en danger d'un meurtrier[2]
Chien Cerberus à quatre têtes ;
Et Narcissus, le bel honnête[s],
En un profond puits se noya
Pour l'amour de ses amourettes.
Bien heureux est qui rien n'y a !

Sardana[3], le preux chevalier
Qui conquit le règne [*royaume*] de Crète[s],
En voulut devenir moulier [*femme*]
Et filer entre pucelettes ;
David le roi, sage prophète[s],
Crainte de Dieu en oublia,
Voyant laver cuisses bien faites.
Bien heureux est qui rien n'y a !

---

1. Trois syllabes.
2. Deux syllabes.
3. Il s'agit sans doute de Sardanapale, bien que dans la *Ballade contre les ennemis de la France* (page 139) Villon le nomme « roi Sardanapalus ».

Amon en vout [*voulut*] déshonorer,
Feignant de manger tartelettes,
Sa sœur Thamar et déflorer,
Qui fut inceste déshonnête[s] ;
Hérode, pas ne sont sornettes,
Saint Jean Baptiste en décolla
Pour danses, sauts et chansonnettes.
Bien heureux est qui rien n'y a !

De moi, pauvre, je veux parler :
J'en fus battu comme à ru teles [*au ruisseau les toiles*],
Tout nu, jà ne le quiers céler [*je ne cherche pas à le cacher*].
Qui me fit mâcher ces grose[i]lles [*avaler ces couleuvres*],
Fors [*si ce n'est*] Catherine de Vaucelles ?
Noël le tiers est, qui fut là[1].
Mitaines [*coups*] à ces noces telles !
Bien heureux est qui rien n'y a !

Mais que ce jeune bachel[i]er [*jeune homme*]
Laissât ces jeunes bachelettes [*jeune fille gracieuse*] ?
Non ! et le dût-on brûler
Comme un chevaucheur d'écouvettes [*de balai = sorcier*].
Plus douces lui sont que civettes [*ciboules*] ;
Mais toutefois fol s'y fia :
Soient blanches, soient[2] brunettes,
Bien heureux est qui rien n'y a !

1. « Il y a trois Noëls que cela s'est passé ».
2. Dans ce vers, « soient » compte à chaque fois deux syllabes.

LXV

Si celle que jadis servoie [*servais*]
De si bon cœur et loyaument
Dont tant de maux et griefs j'avoie [*avais*],
Et souffroie [*souffrais*] tant de tourment,
Si dit m'eût, au commencement,
Sa volonté (mais nenni, las !),
J'eusse mis peine aucunement [*de quelque façon*]
De moi retraire [*retirer*] de ses lacs.

LXVI

Quoi que je lui voulusse dire,
Elle était prête d'écouter
Sans m'accorder [*m'approuver*] ni contredire ;
Qui plus, me souffrait acouter [*approcher*]
Joignant d'elle, près m'accouter [*de m'appuyer à elle*],
Et ainsi m'allait amusant,
Et me souffrait tout raconter ;
Mais ce n'était qu'en m'abusant.

LXVII

Abusé m'a et fait entendre
Toujours d'un que ce fût un autre ;
De farine que ce fût cendre ;
D'un mortier [*toque de juge*] un chapeau de fautre [*feutre*],
De vieux mâchefer que fût peautre [*étain*],
D'ambesas [*deux as*] que ce fussent ternes [*brelan*]
(Toujours trompeur autrui enjautre [*berne*]
Et rend vessies pour lanternes),

LXVIII

Du ciel une poêle d'airain,
Des nues une peau de veau,
Du matin qu'était le serein[1],
D'un trognon de chou un naveau [*navet*],
D'orde cervoise [*de mauvaise bière*] vin nouveau,
D'une truie [*catapulte*] un moulin à vent,
Et d'une hart [*corde de gibet*] un écheveau,
D'un gras abbé un poursuivant [*prétendant*].

LXIX

Ainsi m'ont Amours abusé
Et promené de l'huis au pêle [*pêne*].
Je crois qu'homme n'est si rusé,
Fût fin comme argent en coupelle,
Qui n'y laissât linge, drapelle [*vêtements*],
Mais qu'il fût ainsi manié [*tourmenté*]
Comme moi, qui partout m'appelle [*me dit*]
L'amant remis [*débouté*] et renié.

LXX

Je renie Amours et dépite [*les méprise*]
Et défie à feu et à sang.
Mort par elles [*les amours*] me précipite,
Et ne leur en chaut pas d'un blanc [*petite monnaie*].
Ma vielle ai mis sous le banc [*je renonce au plaisir*] ;
Amants je ne suivrai jamais :
Si jadis je fus de leur rang,
Je déclare que n'en suis mais [*plus*].

---

1. Le mot « serein » – qui signifie « humidité du soir » – ne désigne ici que le soir.

LXXI

Car j'ai mis le plumail au vent[1],
Or [*que*] le suive qui a attente [*en attend quelque chose*].
De ce me tais dorenavant,
Car poursuivre veux mon entente [*projet*].
Et s'aucun [*si quelqu'un*] m'interroge ou tente [*essaie de savoir*]
Comment d'Amour j'ose médire,
Cette parole le contente :
« Qui meurt a ses lois [*le droit*] de tout dire. »

LXXII

Je connais approcher ma seuf [*soif*] ;
Je crache, blanc comme coton,
Jacopins [*crachats*] gros comme un éteuf [*balle de paume*].
Qu'est-ce à dire ? Que Jeanneton
Plus ne me tient pour valeton [*jeune homme*],
Mais pour un vieil usé roquard [*rosse*] :
De vieil porte voix et le ton,
Et ne suis qu'un jeune coquard [*benêt*].

LXXIII

Dieu merci et Tacque Thibaut
Qui tant d'eau froide m'a fait boire,
Mis en bas lieu, non pas en haut,

---

1. Selon les éditions, l'expression signifierait « je me retire du jeu », ou « j'ai suivi mon destin ».

Manger d'angoisse mainte poire,
Enferré... Quand j'en ai mémoire,
Je prie pour lui *et reliqua* [*et les autres*]
Que Dieu lui doint [*donne*], et voire, voire !
Ce que je pense... *et cetera.*

LXXIV

Toutefois, je n'y pense mal
Pour lui, ni pour son lieutenant,
Aussi pour son official [*juge ecclésiastique*]
Qui est plaisant et avenant ;
Que faire n'ai du remenant [*reste*],
Mais du petit maître Robert [*bourreau d'Orléans*].
Je les aime tout d'un tenant [*pareillement*]
Ainsi que fait Dieu le Lombard[1].

LXXV

Si me souvient bien, Dieu merci[s],
Que je fis à mon partement [*départ*]
Certains lais [*legs*], l'an cinquante-six,
Qu'aucuns [*que certains*], sans mon consentement,
Voulurent nommer Testament ;
Leur plaisir fut et non le mien.
Mais quoi ? on dit communément
Qu'un chacun n'est maître du sien.

---

1. Pour rimer avec Lombard – mot qui chez Villon désigne un prêteur usurier –, le nom du boureau d'Orléans, le « petit maître Robert », doit – et devait – se prononcer Rob*a*rt.

LXXVI

Pour les révoquer ne le dis,
Et y courût [*fût engagée*] toute ma terre [*mes biens*] ;
De pitié ne suis refroidi[s]
Envers le Bâtard de la Barre :
Parmi ses trois gluyons de foerre [*bottes de paille*]
Je lui donne mes vieilles nattes [*paillassons*] ;
Bonnes seront pour tenir serre [*ferme*],
Et soi soutenir sur les pattes.

LXXVII

S'ainsi étoit qu'aucun [*que quelqu'un*] n'eût pas
Reçu les lais [*legs*] que je lui mande [*envoie*],
J'ordonne qu'après mon trépas
À mes hoirs [*héritiers*] en fasse demande.
Mais qui sont-ils ? S'on le demande :
Moreau, Provins, Robin Turgis.
De moi, dites que je leur mande [*rappelle*],
Ont eu jusqu'au lit où je gis.

LXXVIII

Somme, plus ne dirai qu'un mot,
Car commencer veux à tester :
Devant mon clerc Firmin qui m'ot [*m'écoute*],
S'il ne dort, je veux protester [*déclarer*]
Que n'entends homme détester [*déshériter*]
En cette présente ordonnance,
Et ne la veux manifester
Sinon au royaume de France.

LXXIX

Je sens mon cœur qui s'affaiblit
Et plus je ne puis papier [*pépier*].
Firmin, sieds-toi près de mon lit,
Que l'on ne me vienne épier ;
Prends encre tôt, plume et papier ;
Ce que nomme [*je dicte*] écris vitement,
Puis fais le partout [*entièrement*] copier ;
Et voici le commencement[1].

LXXX

Au nom de Dieu, Père éternel
Et du Fils que Vierge parit [*enfanta*],
Dieu au Père coéternel,
Ensemble et le Saint Esperit,
Qui sauva ce qu'Adam périt [*perdit*],
Et du péri [*de ce qui fut damné*] pare les cieux.
(Qui bien ce croit peu ne mérit[e],
Gens morts être faits petits dieux.

LXXXI

Morts étoient, et corps et âmes,
En damnée perdition,
Corps pourris et âmes en flammes,
De quelconque condition.
Toutefois, fais exception
Des patriarches et prophètes ;
Car, selon ma conception,
Onques [*jamais*] n'eurent grand chaud aux fesses.

---

1. Après ce vers Villon commence son « testament ».

LXXXII

Qui me dirait : « Qui te fait mettre
Si très avant cette parole,
Qui n'es en théologie maître ?
À toi est présomption folle. »
C'est de Jésus la parabole
Touchant le Riche enseveli
En feu, non pas en couche molle,
Et du Ladre [*Lazare*] de dessus li [*au-dessus de lui*].

LXXXIII

Si du Ladre eût vu le doigt ardre [*brûler*],
Jà [*certes*] n'en eût requis réfrigère [*rafraîchissement*],
N'au bout d'icelui doigt aherdre [*toucher*],
Pour rafraîchir sa mâchouère.
Pions [*buveurs*] y feront mate chère [*grise mine*]
Qui boivent pourpoint et chemise.
Puisque boiture [*boisson*] y est si chère,
Dieu nous en gard', bourde jus mise [*plaisanterie à part*] !)

LXXXIV

Au nom de Dieu, comme j'ai dit,
Et de sa glorieuse Mère
Sans péché soit parfait [*achevé*] ce dit
Par moi, plus maigre que chimère ;
Si je n'ai eu fièvre éphémère,
Ce m'a fait divine clémence,
Mais d'autre deuil [*douleur*] et peine amère
Je me tais, et ainsi commence.

LXXXV

Premier, je donne ma pauvre âme
À la benoîte Trinité,
Et la [re]commande à Notre-Dame,
Chambre de la divinité,
Priant toute la charité
Des dignes neuf Ordres des cieux
Que par eux soit ce don porté
Devant le Trône précieux.

LXXXVI

Item, mon corps j'ordonne et laisse
À notre grand-mère la terre ;
Les vers n'y trouveront grand graisse,
Trop lui a fait faim dure guerre.
Or [qu'il] lui soit délivré grand erre [bien vite] :
De terre vint, en terre tourne ;
Toute chose, si par trop n'erre [si je ne m'égare],
Volontiers en son lieu retourne.

LXXXVII

Item, et à mon plus que père,
Maître Guillaume de Villon,
Qui été m'a plus doux que mère
À enfant levé de maillon [démailloté] :
Déjeté [sorti] m'a de maint bouillon [mauvais pas]
Et de cestui pas ne s'éjoie [ne se réjouit] ;
Si lui requiers à genouillon [à genoux]
Qu'il m'en laisse toute la joie ;

LXXXVIII

Je lui donne ma librairie [*bibliothèque*]
Et le Roman du *Pet au Diable*[1]
Lequel maître Guy Tabarie
Grossa [*copia*], qui est hom' véritable [*de confiance*].
Par cahiers [*non relié*] est sous une table ;
Combien qu'il soit rudement [*grossièrement*] fait,
La matière est si très notable
Qu'elle amende tout le méfait.

LXXXIX

Item, donne à ma pauvre mère
Pour saluer notre Maîtresse,
(Qui pour [*à cause de*] moi eut douleur amère,
Dieu le sait, et mainte tristesse) :
Autre châtel n'ai ni fortresse
Où me retraye [*réfugier*] corps et âme,
Quand sur moi court male détresse,
Ni ma mère, la pauvre femme !

1. Sans doute un roman – perdu – de Villon. Marcel Schwob (*François Villon*) suppose qu'il avait pour sujet l'enlèvement par les écoliers parisiens d'une borne de grande dimension sise à l'hôtel du Pet-au-Diable.

Ballade
[Pour prier Notre-Dame]

Dame du ciel, régente terrienne,
Emperière des infernaux palus [*marais* = *l'enfer*],
Recevez-moi, votre humble chrétienne,
Que comprise soi[s] entre vos élus,
Ce nonobstant qu'onques [*bien que jamais*] rien ne valus.
Les biens de vous, ma Dame et ma Maîtresse,
Sont trop plus grands que ne suis pécheresse,
Sans lesquels biens âme ne peut mérir [*mériter*]
N'avoir les cieux. Je n'en suis jangleresse [*menteuse*] :
En cette foi je veux vivre et mourir.

À votre fils dites que je suis sienne ;
De lui soient mes péchés abolus [*abolis*] ;
Pardonne à moi comme à l'Égyptienne[1],
Ou comme il fit au clerc Théophilus[2],
Lequel par vous fut quitte et absolus [*absous*],
Combien qu'il eût au diable fait promesse.
Préservez-moi de faire jamais ce,
Vierge portant, sans rompure [*rupture*] encourir,
Le sacrement qu'on célèbre à la messe :
En cette foi je veux vivre et mourir.

1. Marie l'Égyptienne, prostituée à Alexandrie dès l'âge de douze ans et pendant dix-sept ans, décida un jour de se rendre au désert de Thébaïde, dans le sud de l'Égypte, où, pendant quarante-sept ans, elle n'eut, dit-on, que sept pains pour toute nourriture. L'église Sainte-Marie-l'Égyptienne se trouvait, au temps de Villon, dans le quartier des Halles.
2. Dans *Le Miracle de Théophile* (1260), Rutebeuf écrit la légende de ce prêtre qui, en révolte contre son évêque, conclut un pacte avec le diable, dont il fut délié par la Vierge. *Théophile, beau doux ami, / Puisque tu t'es en mes mains mis, / Je te dirai ce que feras...*

Femme je suis pauvrette et ancienne,
Qui rien ne sais ; oncques [*jamais*] lettre ne lus.
Au moutier [*église*] vois, dont suis paroissienne,
Paradis peint où sont harpes et lu[th]s,
Et un enfer ou damnés sont boullus [*bouillis*] :
L'un me fait peur, l'autre joie et liesse.
La joie avoir me fais, haute Déesse,
À qui pécheurs doivent tous recourir,
Comblés de foi, sans feinte ni paresse :
En cette foi je veux vivre et mourir.

Vous portâtes, digne Vierge, princesse,
Iésus régnant qui n'a ni fin ni cesse.
Le Tout-Puissant, prenant notre faiblesse,
Laissa les cieux et nous vint secourir,
Offrit à mort sa très chère jeunesse ;
Notre Seigneur tel est, tel le confesse :
En cette foi je veux vivre et mourir.

XC

Item, m'amour, ma chère Rose,
Ne lui laisse ni cœur ni foie :
Elle aimerait mieux autre chose,
Combien qu'elle ait assez monnoie.
Quoi ? une grand bourse de soie,
Pleine d'écus, profonde et large :
Mais pendu soit-il, et le soie [*que je le sois*],
Qui lui laira [*laissera*] écu ni targe[1].

XCI

Car elle en a, sans moi, assez.
Mais de cela il ne m'en chaut [*il m'est égal*] ;
Mes plus grands deuils [*douleurs*] en sont passés,
Plus n'en ai le croupion chaud.
Si m'en démets aux hoirs [*héritiers*] Michaut
Qui fut nommé le bon Fouterre [*fouteur*] ;
Priez pour lui, faites un saut :
À Saint-Satur gît, sous Sancerre.

XCII

Ce nonobstant, pour m'acquitter
Envers Amour, plus qu'envers elle,
Car oncques [*jamais*] n'y pus aquêter [*obtenir*]
D'espoir une seule étincelle ;
(Je ne sais s'à tous si rebelle

---

1. La « targe » désigne ici une « monnaie des ducs de Bretagne qui portait au revers l'image d'un bouclier – ou targe » (Littré).

A été, ce m'est grand émoi :
Mais, par sainte Marie la belle,
Je n'y vois que rire pour moi),

XCIII

Cette ballade lui envoie
Qui se termine tout par R.
Qui lui portera ? Que je voie...
Ce sera Pernet de la Barre,
Pourvu, s'il rencontre en son erre [*en chemin*]
Ma demoiselle au nez tortu,
Il lui dira, sans plus enquerre [*sans hésiter*] :
« Orde [*sale*] paillarde, d'où viens-tu ? »

Ballade à s'amie

Fausse [*trompeuse*] beauté qui tant me coûte cher,
Rude en effet, hypocrite douceur,
Amour dure plus que fer à mâcher,
Nommer que puis, de ma défaçon seur [*sûr de ma destruction*]
Charme félon, la mort d'un pauvre cœur,
Orgueil mussé [*caché*] qui gens met au mourir,
Yeux sans pitié, ne veut Droit de Rigueur,
Sans empirer [*aggraver son mal*], un pauvre secourir ?

Mieux m'eût valu avoir été chercher
Ailleurs secours : c'eût été mon honneur ;
Rien ne m'eût su lors de ce fait hâcher [*souffrir*].
Trotter m'en faut en fuite et déshonneur.
Haro, haro, le grand et le mineur !
Et qu'est-ce ci ? Mourrai sans coup férir ?
Ou Pitié veut, selon cette teneur,
Sans empirer, un pauvre secourir ?

Un temps viendra qui fera dessécher
Jaunir, flétrir votre épanie [*épanouie*] fleur ;
Je m'en risse, si tant pusse mâcher[1]
Lors ! Mais nenni, ce serait donc foleur [*folie*] :
Vieux je serai ; vous laide, sans couleur ;
Or buvez fort, tant que ru peut courir ;
Ne donnez pas à tous cette douleur,
Sans empirer, un pauvre secourir ?

Prince amoureux[2], des amants le graigneur [*le plus grand*],
Votre mal gré [*disgrâce*] ne voudrais encourir,
Mais tout franc cœur doit, par Notre-Seigneur,
Sans empirer, un pauvre secourir ?

1. « J'en rirais si j'avais encore mes dents ».
2. L'envoi est à Charles d'Orléans.

XCIV

Item, à maître Ythier Marchant,
Auquel mon brant [*épée*] laissai jadis,
Donne, mais qu'il le mette en chant [*musique*],
Ce lai[1] contenant des vers dix,
Et, au luth, un *De profundis*
Pour ses anciennes amours
Desquelles le nom je ne dis,
Car il me hairait à tous jours.

1. Petit poème, appelé aussi rondeau, où le premier vers – parfois, comme à la page suivante, le premier mot – revient au milieu et à la fin de la pièce.

Lai
[Rondeau]

Mort, j'appelle de ta rigueur,
Qui m'as ma maîtresse ravie,
Et n'es pas encore assouvie
Si tu ne me tiens en langueur :
Onc puis [*jamais depuis*] n'eus force ni vigueur ;
Mais que te nuisait-elle en vie,
        Mort ?

Deux étions et n'avions qu'un cœur ;
S'il est mort, force est que dévie [*je meure*],
Voire, ou que je vive sans vie
Comme les images, par cœur [*par la mémoire*],
        Mort !

XCV

Item, à maître Jean Cornu
Autre nouveau lais [*legs*] lui veux faire,
Car il m'a toujours secouru
À mon grand besoin et affaire :
Pour ce, le jardin lui transfère
Que maître Pierre Baubignon
M'arenta [*me loua*], en faisant refaire
L'huis, et redresser le pignon.

XCVI

Par faute d'un huis, j'y perdis
Un grès [*pot de grès*] et un manche de houe.
Alors huit faucons, non pas dix,
N'y eussent pas pris une aloue [*alouette*].
L'hôtel est sûr, mais qu'on le cloue [*à condition qu'on le ferme*].
Pour enseigne y mis un havet [*pince de crocheteur*] ;
Qui qui l'ait pris, point ne m'en loue :
Sanglante nuit et bas chevet[1] !

XCVII

Item, et pour ce que la femme
De maître Pierre Saint-Amant
(Combien, si coulpe [*péché*] y a à l'âme,
Dieu lui pardonne doucement)
Me mit au rang de caïmant [*mendiant*],
Pour le *Cheval blanc* qui ne bouge
Lui changeai à [*contre*] une jument,
Et la *Mule* à un âne rouge.

1. L'épithète « sanglant » avait alors une connotation vulgaire. On peut traduire ce vers par « Saleté de nuit et mauvais sommeil ».

XCVIII

Item, donne à sire Denis
Hesselin, élu de Paris,
Quatorze muids de vin d'Aunis
Pris sur Turgis à mes péri[l]s.
S'il en buvait tant que péris
En fut son sens et sa raison ;
Qu'on mette de l'eau ès [*dans les*] barils :
Vin perd mainte bonne maison.

XCIX

Item, donne à mon avocat,
Maître Guillaume Charruau,
Quoi qu'il marchande ou ait état,
Mon brant [*épée*] ; je me tais du fourreau.
Il aura, avec, un réau [*monnaie d'or*]
En change, afin que sa bourse enfle,
Pris sur la chaussée et carreau
De la grand clôture du Temple.

C

Item, mon procureur Fournier
Aura pour toutes ses corvées
(Simple sera [*idiot serait*] de l'épargner)
En ma bourse quatre havées [*poignées*],
Car maintes causes m'a sauvées,
Justes, ainsi Jésus-Christ m'aide !
Comme telles se sont trouvées ;
Mais bon droit a bon métier [*a besoin*] d'aide.

CI

Item, je donne à maître Jacques
Raguier le *Grand Godet* de Grève,
Pourvu qu'il paiera quatre plaques [*petite monnaie*]
(Dût-il vendre, quoi qu'il lui grève [*pèse, coûte*]
Ce dont on couvre mol et grève [*mollet et jambe*],
Aller nu jambe en eschapin [*pantoufle*]),
Si sans moi boit, assied ni lève [*assis ou debout*]
Au trou de *La Pomme de Pin*.

CII

Item, quant est de Merebeuf
Et de Nicolas de Louviers,
Vache ne leur donne ni bœuf,
Car vachers ne sont ni bouviers,
Mais gens à porter éperviers,
Ne cuidez [*croyez*] pas que je me joue,
Et pour prendre perdrix, pluviers
Sans faillir [*manquer*], sur la Machecoue[1].

CIII

Item, vienne Robin Turgis
À moi, je lui paierai son vin ;
Combien, s'il trouve mon logis,
Plus fort sera que le devin.
Le droit lui donne d'échevin,

---

1. Selon un commentaire de Claude Fauchet (1530-1601), président de la cour des Monnaies, un temps possesseur du manuscrit que la reine Christine de Suède acheta plus tard à Pétau, et qu'elle céda, avant de mourir à Rome, au Vatican, la Machecoue « était une rôtisseuse demeurant près le Grand Châtelet ».

Que j'ai comme enfant de Paris :
Si je parle un peu poitevin,
Ice [*cela*] m'ont deux dames appris.

CIV

Elles sont très belles et gentes
Demeurant à Saint-Génerou[x],
Près Saint-Julien-de-Vouvantes,
Marche de Bretagne ou Poitou.
Mais i ne di [*en poitevin : je ne dis*] proprement où
Iquelles [*celles-ci*] passent tous les jours ;
M'arme ! i ne seu mie [*Par mon âme, je ne suis pas*] si fou,
Car i veuil celer [*je veux cacher*] mes amours.

CV

Item, à Jean Raguier je donne,
Qui est sergent, voire des Douze,
Tant qu'il vivra, ainsi l'ordonne,
Tous les jours une tallemousse [*soufflé = un soufflet*],
Pour bouter et fourrer sa mouse [*museau*],
Prise à la table de Bailly ;
À Maubué [*fontaine Maubué*] sa gorge arro[u]se,
Car au manger n'a pas failli.

CVI

Item, et au prince des Sots[1]
Pour un bon sot Michaut du Four,

---

1. Titre que portait les chefs de diverses troupes qui jouaient des « soties », sortes de satires dialoguées.

Qui à la fois dit de bons mots
Et chante bien « Ma douce amour ! »
Je lui donne avec le bonjour ;
Bref, mais qu'il fût un peu en point [*bien disposé*],
Il est un droit sot de séjour[1],
Et est plaisant où il n'est point.

CVII

Item, aux Onze-Vingts Sergents
Donne, car leur fait est honnête,
Et sont bonnes et douces gens
Denis Richier et Jean Valette,
À chacun une grand cornette [*bride*]
Pour pendre à leurs chapeaux de fautres [*feutre*] ;
J'entends à ceux à pied, hohette !
Car je n'ai que faire des autres.

CVIII

Derechef donne à Perrenet,
J'entends le Bâtard de la Barre,
Pour ce qu'il est beau fils et net [*honnête*],
En son écu, en lieu de barre[2],
Trois dés plombés [*dés pipés*], de bonne carre [*facture*],
Et un beau joli jeu de cartes.
Mais quoi ! s'on l'oit vessir ni poirre[3],
En outre aura les fièvres quartes.

1. Une bête « de séjour » était une bête malade qui devait garder l'écurie.
Villon joue ici sur les mots « bête » et « sot ».
2. En terme de blason, la barre de bâtardise, trait étroit qui sépare oblique-
ment l'écu de gauche à droite, signale les armes d'un bâtard.
3. « Mais quoi ! si on l'entend vesser ou péter ».

CIX

Item, ne veux plus que Cholet
Dole [*rabote*], tranche, douve ni boise,
Relie [*cercle*] broc ni tonnelet,
Mais tous ses outils changer voise [*aille*]
À [*contre*] une épée lyonnoise,
Et retienne le hutinet [*maillet de tonnelier*] :
Combien qu'il n'aime bruit ni noise,
Si lui plaît-il un tantinet.

CX

Item, je donne à Jean le Lou[p],
Homme de bien et bon marchand,
Pour ce qu'il est linget et flou [*mince et fluet*],
Et que Cholet est mal cherchant [*mauvais chercheur*],
Un beau petit chiennet couchant
Qui ne laira [*laissera*] poulaille en voie,
Un long tabart [*manteau*] et bien cachant
Pour les musser [*dissimuler*], qu'on ne les voie.

CXI

Item, à *L'Orfèvre de bois*
Donne cent clous, queues et têtes,
De gingembre sarrasinois,
Non pas pour accoupler ses boetes,
Mais pour joindre culs et quoettes [*queues*],
Et coudre jambons et andouilles,
Tant que le lait en monte aux tettes [*mamelles*]
Et le sang en dévale aux couilles.

CXII

Au capitaine Jean Riou[1],
Tant pour lui que pour ses archers,
Je donne six hures de lou[p]
Qui n'est pas viande à porchers,
Pris à gros mâtins de bouchers,
Et cuites en vin de buffet [*piquette*].
Pour manger de ces morceaux chers,
On en ferait bien un malfait [*méfait*].

CXIII

C'est viande un peu plus pesante
Que duvet n'est, plume ni liège ;
Elle est bonne à porter en tente [*à la guerre*],
Ou pour user en quelque siège.
S'ils étaient pris à un piège,
Que ces mâtins ne sussent courre,
J'ordonne, moi qui suis son miège [*médecin*],
Que de peaux, sur l'hiver, se fourre.

CXIV

Item, à Robinet Trascaille,
Qui en service (c'est bien fait)
À pied ne va comme une caille,
Mais sur roncin [*cheval de charge*] gros et refait [*gras*],
Je lui donne, de mon buffet [*vaisselle*],
Une jatte qu'emprunter n'ose ;

1. « Ce Riou était capitaine des archers de la ville » (Claude Fauchet).

Si [*ainsi*] aura ménage parfait :
Plus ne lui faillait [*manquait*] autre chose.

CXV

Item, donne à Perrot Girart,
Barbier juré de Bourg-la-Reine,
Deux bassins [*plat creux*] et un coquemar[t] [*pot*],
Puisqu'à gagner met telle peine.
Des ans y a demi-douzaine
Qu'en son hôtel de cochons gras
M'apâtela [*me mourrit*] une semaine,
Témoin l'abbesse de Pourras[1].

CXVI

Item, aux Frères mendiants,
Aux Dévotes et aux Béguines,
Tant de Paris que d'Orléans,
Tant turlupins que turlupines [*hérétiques*],
De grasses soupes jacobines [*rôties au fromage*]
Et flans leur fais oblation ;
Et puis après, sous les courtines [*rideaux de lit*],
Parler de contemplation.

CXVII

Si ne suis-je pas qui [*celui qui*] leur donne,
Mais de tous enfants sont les mères,

---

1. Il s'agit de « Porras, ou Port roial [*Port-Royal*] pres Trapes » (Claude Fauchet).

Et Dieu, qui ainsi les guerdonne [*récompense*],
Pour qui [*pour Lequel ils*] souffrent peines amères.
Il faut qu'ils vivent, les beaux pères,
Et mêmement [*surtout*] ceux de Paris.
S'ils font plaisir à nos commères,
Ils aiment ainsi leurs maris.

CXVIII

Quoi que maître Jean de Poullieu
En vousît [*voulût*] dire *et reliqua*,
Contraint et en publique lieu,
Honteusement s'en révoqua [*se rétracta*].
Maître Jean de Meung s'en moqua ;
De leur façon si fit Mathieu[1] ;
Mais on doit honorer ce qu'a
Honoré l'Église de Dieu.

CXIX

Si me soumets, leur serviteur
En tout ce que puis faire et dire,
À les honorer de bon cœur
Et obéir, sans contredire ;
L'homme bien fol est d'en médire,
Car, soit à part ou en prêcher
Ou ailleurs, il ne faut pas dire
Si gens sont pour eux revancher [*veulent se venger*].

---

1. Dans le *Lamentationum Matheoluli de Liber*, écrit autour de 1295 par Mathieu [*Mathéolus*] de Boulogne.

CXX

Item, je donne à frère Baude,
Demeurant en l'hôtel des Carmes,
Portant chère hardie et baude [*visage fier et joyeux*],
Une salade [*casque*] et deux guisarmes [*hallebardes*],
Que Detusca et ses gendarmes
Ne lui riblent [*pillent*] sa *Cage vert*.
Vieil est : s'il ne se rend aux armes,
C'est bien le diable de Vauvert.

CXXI

Item, pour ce que le scelleur [*poseur de sceau*]
Maint étron de mouche a mâché [*malaxé de la cire*],
Donne, car homme est de valeur,
Son sceau d'avantage craché [*d'abord imbibé de salive*],
Et qu'il ait le pouce écaché [*aplati*]
Pour tout empreindre à une voie [*imprimer d'un coup*] ;
J'entends celui de l'évêché,
Car les autres, Dieu les pourvoie !

CXXII

Quant des [*aux*] auditeurs messeigneurs,
Leur grange ils auront lambrissée ;
Et ceux qui ont les culs rogneux [*galeux*]
Chacun une chaise percée ;
Mais qu'à la petite Macée
D'Orléans, qui eut ma ceinture,
L'amende soit bien haut taxée :
Elle est une mauvaise ordure.

CXXIII

Item, donne à maître François,
Promoteur... de la Vacquerie,
Un haut gorgerin d'Écossois,
Toutefois sans orfévrerie ;
Car, quand reçut chevalerie,
Il maugréa Dieu et saint George[s],
Parler n'en oit [*en entend parler*] qui ne s'en rie,
Comme enragé, à pleine gorge.

CXXIV

Item, à maître Jean Laurens,
Qui a les pauvres yeux si rouges
Pour le péché de ses parents
Qui burent en barils et courges [*gourdes*],
Je donne l'envers de mes bouges [*culottes*]
Pour tous les matins les torcher :
S'il fût archevêque de Bourges
De cendal [*soie rouge*] eût, mais il est cher.

CXXV

Item, à maître Jean Cotart,
Mon procureur en cour d'Église,
Devais environ un patart [*deux sous*]
(Car à présent bien m'en avise)
Quand chicaner [*assigner*] me fit Denise,
Disant que l'avoie [*avais*] maudite ;
Pour son âme, qu'ès cieux soit mise,
Cette oraison j'ai ci écrite.

Ballade et oraison

Père Noé, qui plantâtes la vigne,
Vous aussi, Loth, qui bûtes au rocher,
Par tel parti qu'Amour qui gens eng[e]igne [*trompe*]
De vos filles si vous fit approcher
(Pas ne le dis pour vous le reprocher),
Archetriclin[1], qui bien sûtes cet art,
Tous trois vous pri[*e*] qu'o [*haut ?*] vous veuillez percher
L'âme du bon feu maître Jean Cotard !

Jadis extrait il fut de votre ligne,
Lui qui buvait du meilleur et plus cher,
Et ne dût-il avoir vaillant un p[e]igne ;
Certes, sur tous, c'était un bon archer :
On ne lui sût pot des mains arracher ;
De bien boire oncques [*jamais*] ne fut fetart [*paresseux*].
Nobles seigneurs, ne souffrez empêcher [*repousser*]
L'âme du bon feu maître Jean Cotart !

Comme homme bu [*ivre*] qui chancelle et trépigne
L'ai vu souvent, quand il s'allait coucher,
Et une fois il se fit une bigne [*bosse*],
Bien m'en souvient, à l'étal d'un boucher ;
Bref, on n'eût su en ce monde chercher
Meilleur pïon [*ivrogne*], pour boire tôt ou tard.
Faites entrer quand vous orrez hucher [*entendrez appeler*]
L'âme du bon feu maître Jean Cotart !

Prince, il n'eût su jusqu'à terre cracher ;
Toujours criait : « Haro ! la gorge m'ard [*me brûle*] ! »
Et si ne sut onc [*jamais*] sa soif étancher
L'âme du bon feu maître Jean Cotart.

---

1. Le mot latin *architriclinus* désigne l'« hôte », ou le « maître d'hôtel ». Au Moyen Âge, le mot fut pris pour le nom propre de l'hôte des Noces de Cana.

CXXVI

Item, veux que le jeune Merle[1]
Désormais gouverne mon change,
Car de changer envis [*malgré moi*] me mêle,
Pourvu que toujours baille en change,
Soit à privé, soit à étrange[r],
Pour trois écus six brettes targes[2],
Pour deux angelots un grand ange[3] :
Car amants doivent être larges.

CXXVII

Item, j'ai su, en ce voyage,
Que mes trois pauvres orphelins
Sont crûs [*ont grandi*] et deviennent en âge,
Et n'ont pas tête de belins [*moutons = niais*],
Et qu'enfants d'ici à Salins
N'a mieux sachant leur tour d'école ;
Or, par l'ordre des Mathelins[4],
Telle jeunesse n'est pas folle.

CXXVIII

Si veux qu'ils voisent [*aillent*] à l'étude ;
Où ? sur maître Pierre Richer.

1. Prononcer « Mêle » pour la rime.
2. Voir note page 70.
3. L'angelot était une monnaie du règne de saint Louis, qui portait l'image de saint Michel terrassant un serpent. Elle valait un écu d'or. L'ange était une monnaie d'or de plus grande valeur.
4. Ordre des mathurins, ou trinitaires. Saint Mathurin était invoqué contre la folie.

Le *Donat* [*grammaire latine*] est pour eux trop rude :
Je ne les y veux empêcher [*contraindre*].
Ils sauront, je l'aime plus cher,
Ave salus, tibi decus[1],
Sans plus grands lettres enchercher :
Toujours n'ont pas clercs l'au-dessus.

CXXIX

Ceci étudient [*qu'ils étudient ceci*], et ho !
Plus procéder [*aller plus avant*] je leur défends.
Quant d'entendre [*comprendre*] le grand *Credo*,
Trop fort il est pour tels enfants.
Mon long tabart [*manteau*] en deux je fends ;
Si veux que la moitié s'en vende
Pour leur en acheter des flans,
Car jeunesse est un peu friande [*gourmande*].

CXXX

Et veux qu'ils soient informés [*éduqués*]
En mœurs, quoi que coûte bature [*les coups*] ;
Chaperons [*bonnets*] auront enformés [*enfoncés*]
Et les pouces sur la ceinture,
Humbles à toute créature,
Disant : « Han ? Quoi ? Il n'en est rien ! »
Si diront gens, par aventure :
« Voici enfants de lieu de bien ! »

---

1. « Salut "salut", à toi la gloire », jeu de mots sur *salus* (le « salut d'or » étant une monnaie du temps de Charles VI, ainsi nommée parce qu'elle portait gravée la salutation de l'ange à la Vierge) et *decus* (d'« écus »).

CXXXI

Item, et mes pauvres clergeons
Auxquels mes titres résignai,
Beaux enfants et droits comme joncs
Les voyant, m'en dessaisinai [*déssaisis*] ;
Cens [*loyer*] recevoir leur assignai,
Sûr comme qui l'aurait en paume,
À un certain jour consigné
Sur l'hôtel de Gueuldry Guillaume.

CXXXII

Quoique jeunes et ébattants
Soient, en rien ne me déplaît :
Dedans trente ans ou quarante ans
Bien autres seront, si Dieu plaît.
Il fait mal qui ne leur complaît ;
Ils sont très beaux enfants et gents [*nobles*] ;
Et qui les bat ni fiert [*blesse*], fol est,
Car enfants si [*aussi*] deviennent gens.

CXXXIII

Les bourses des Dix et Huit Clercs[1]
Auront ; je m'y veux travailler :
Pas ils ne dorment comme lairs [*loirs*]
Qui trois mois sont sans réveiller.
Au fort [*en fait*], triste est le sommciller
Qui fait aiser jeune en jeunesse,

1. Le collège des Dix-Huit, situé dans l'Hôtel-Dieu.

Tant qu'enfin lui convient veiller
Quand reposer dût en vieillesse.

CXXXIV

Si en écris au collateur [*qui octroie un bénéfice*]
Lettres semblables et pareilles :
Or prient pour leur bienfaiteur
Ou qu'on leur tire les oreilles.
Aucunes [*certaines*] gens ont grands merveilles [*s'étonnent*]
Que tant m'incline vers ces deux ;
Mais, foi que dois fêtes et veilles,
Onques [*jamais*] ne vis les mères d'eux !

CXXXV

Item, donne à Michaut Cul-d'Ou [*oie*]
Et à sire Charlot Taranne
Cent sous (s'ils demandent : « Pris où ? »
Ne leur chaille : ils vendront de manne¹)
Et unes houses [*paire de bottes*] de basane,
Autant empeigne que semelle,
Pourvu qu'ils me salueront Jeanne,
Et autant une autre comme elle.

CXXXVI

Item, au seigneur de Grigny,
Auquel jadis laissai Vicêtre,

1. « Qu'ils ne s'en soucient, ils tomberont comme manne ».

Je donne la tour de Billy,
Pourvu, s'huis y a ni fenêtre
Qui soit ni debout ni en être [*en état*],
Qu'il mette très bien tout à point.
Fasse argent à destre et senestre :
Il m'en faut [*manque*], et il n'en a point.

CXXXVII

Item, à Thibaut de la Garde...
Thibaut ? Je mens, il a nom Jean.
Que lui donrai-je que ne perde ?
(Assez ai perdu tout cet an ;
Dieu y veuille pourvoir, *amen* !)
Le Barillet, par m'âme, voire !
Genevois est plus ancien
Et a plus beau nez pour y boire.

CXXXVIII

Item, je donne à Basanier
Notaire et greffier criminel,
De girofle plein un panier
Pris sur maître Jean de Ruel,
Tant à Mautaint, tant à Rosnel,
Et, avec ce don de girofle,
Servir de cœur gent et inel [*gentil et léger*]
Le seigneur qui sert saint Christofle[1],

1. Robert d'Estouteville, prévôt de Paris, mari d'Ambroise de Loré, dont les prénom et nom font l'acrostiche de la ballade suivante. Les autres noms cités dans ce huitain sont ceux de magistrats du Châtelet, dont certains ont instruit l'affaire du collège de Navarre.

CXXXIX

Auquel cette ballade donne
Pour sa dame qui tous bien a.
S'amour ainsi tous ne guerdonne [*récompense*],
Je ne m'ébahis de cela,
Car au Pas conquêter l'alla
Que tint Régnier, roi de Sicile,
Où si bien fit et peu parla
Qu'oncques [*que jamais*] fit Hector ni Troïle.

Ballade pour Robert D'Estouteville

Au point du jour, que l'épervier s'ébat [*bat des ailes*],
Mû de plaisir et par noble coutume,
(Bruit la mauvis [*alouette*] et de joye s'ébat [*s'envole*])
Reçoit son pair et se joint à sa plume,
Offrir vous veux, à ce désir m'allume,
Ioyeusement ce qu'aux amants bon semble.
Sachez qu'Amour l'écrit en son volume,
Et c'est la fin pour quoi sommes ensemble.

Dame serez de mon cœur, sans débat,
Entièrement, jusque mort me consume,
Laurier souef [*suave*] qui pour mon droit combat,
Olivier franc m'ôtant toute amertume,
Raison ne veut que je désaccoutume,
Et en ce veux avec elle m'assemble,
De vous servir, mais que m'y accoutume ;
Et c'est la fin pour quoi sommes ensemble.

Et qui plus est, quand deuil sur moi s'embat [*se jette*],
Par Fortune qui souvent si se fume [*s'irrite*],
Votre doux œil sa malice rabat,
Ni mais ni mains [*ni plus ni moins*] que le vent fait la plume.
Si ne perds pas la graine que je sume [*sème*]
En votre champ quand le fruit me ressemble.
Dieu m'ordonne que le fouisse et fume ;
Et c'est la fin pour quoi sommes ensemble.

Princesse, oyez [*écoutez*] ce que ci vous résume :
Que le mien cœur du vôtre désassemble [*se sépare*]
Jà [*certes*] ne sera : tant de vous en présume ;
Et c'est la fin pour quoi sommes ensemble.

CXL

Item, à sire Jean Perdrier[1]
Rien, n'à François, son second frère.
Si m'ont voulu toujours aid[i]er
Et de leurs biens faire confrère ;
Combien que François mon compère
Langues cuisants, flambants et rouges,
Mi-commandement, mi-prière,
Me recommanda fort à Bourges.

CXLI

Si allai voir en Taillevent[2],
Au chapitre de fricassure,
Tout au long, derrière et devant,
Lequel n'en parle jus ni sure [*ni en bas ni en haut*].
Mais Macquaire, je vous assure,
À tout [*avec*] le poil cuisant un diable,
Afin que sentît bon l'arsure [*la cuisson*],
Ce récipe [*recette*] m'écrit, sans fable.

1. « Perdrier » compte ici deux syllabes.
2. Guillaume Tirel, dit Taillevent, maître-queux du roi Charles V, était l'auteur d'un livre de cuisine, *Le Viandier*, appelé aussi *Le Taillevent*.

Ballade

En réalgar [*sel rouge d'arsenic*], en arsenic rocher,
En orpiment [*sel jaune d'arsenic*], en salpêtre et chaux vive,
En plomb bouillant pour mieux les émorcher [*dissoudre*],
En suif et poix détrempés de lessive
Faite d'étrons et de pissat de juive,
En lavailles de jambes à méseaux [*lépreux*],
En raclure de pieds et vieux houseaux [*guêtres*],
En sang d'aspic et tels drogues vlimeuses [*vénéneuses*],
En fiel de loups, de renards et blaireaux,
Soient frites ces langues envieuses !

En cervelle de chat qui hait pêcher,
Noir et si vieil qu'il n'ait dent en gencive,
D'un vieil mâtin qui vaut bien aussi cher,
Tout enragé en sa bave et salive,
En l'écume d'une mule poussive
Détranchée [*coupée*] menu à bons ciseaux,
En eau où rats plongent groins et museaux,
Raines [*grenouilles*], crapauds et bêtes dangereuses,
Serpents, lézards et tels nobles oiseaux,
Soient frites ces langues envieuses !

En sublimé, dangereux à toucher,
Et au nombril d'une couleuvre vive,
En sang qu'on voit ès palettes[1] sécher
Chez les barbiers quand pleine lune arrive,
Dont l'un est noir, l'autre plus vert que cive [*ciboule*],
En chancre et fic [*verrue*], et en ces ords [*sales*] cuveaux
Où nourrices essangent leurs drapeaux [*lavent leurs langes*],

---

1. Petite écuelle d'étain, à la capacité déterminée, dans laquelle on recevait
le sang de ceux que l'on saignait (Littré).

En petits bains de filles amoureuses
(Qui ne m'entend n'a suivi les bordeaux [*bordels*])
Soient frites ces langues envieuses !

Prince, passez tous ces friands morceaux,
S'étamine, sacs n'avez ou bluteaux[1],
Parmi le fond d'unes braies breneuses [*culotte merdeuse*] ;
Mais, par avant, en étrons de pourceaux
Soient frites ces langues envieuses !

---

1. Tous ces termes désignent des ustensiles servant à passer, à filtrer : l'« éta-mine » est un tissu peu serré, le « sac » une sorte d'épuisette et le « bluteau » – ou blutoir – un tamis.

CXLII

Item, à maître Andry Couraud
Les Contredits Franc Gontier mande[1] ;
Quant du tyran séant en haut,
À cestui-là rien ne demande.
Le Sage ne veut que contende [*lutte*]
Contre puissant pauvre homme las [*malheureux*],
Afin que ses filets ne tende
Et qu'il ne trébuche en ses lacs.

CXLIII

Gontier ne crains : il n'a nuls hommes
Et mieux que moi n'est hérité[2],
Mais en ce débat-ci nous sommes,
Car il loue sa pauvreté,
Être pauvre hiver et été,
Et à félicité répute
Ce que [*je*] tiens à malheureté.
Lequel a tort ? Or [*qu'on*] en dispute.

1. Personnage créé par Philippe de Vitry (1291-1361) – évêque de Meaux, philosophe, mathématicien, musicologue (*Ars nova*), compositeur et poète – dans *Le Dit de Franc Gontier* (1350). Franc Gontier représente le paysan pauvre, à la vie simple.
2. « Et n'est pas plus riche que moi ».

Ballade

[Les contredits de Franc Gontier]

Sur mol duvet assis, un gras chanoine,
Lez [*près d'*] un brasier, en chambre bien nattée [*tapissée*],
À son côté gisant [*couchée*] dame Sidoine
Blanche, tendre, polie et attintée [*fardée*],
Boire hypocras[1], à jour et à nuitée,
Rire, jouer, mignonner et baiser,
Et nu à nu, pour mieux des corps s'aiser [*jouir*],
Les vis tous deux, par un trou de mortaise :
Lors je connus que, pour deuil [*douleur*] apaiser,
Il n'est trésor que de vivre à son aise.

Si Franc Gontier et sa compagne Hélène
Eussent cette douce vie hantée,
D'oignons, civots [*ciboule*], qui causent forte haleine
N'acontassent une bise tostée[2].
Tout leur maton [*lait caillé*], ni toute leur potée,
Ne prise [*vaut*] un ail, je le dis sans noiser [*chicaner*].
S'ils se vantent coucher sous le rosier,
Lequel vaut mieux ? Lit côtoyé de chaise ?
Qu'en dites-vous ? Faut-il à ce muser ?
Il n'est trésor que de vivre à son aise.

De gros pain bis vivent, d'orge, d'avoine,
Et boivent eau tout au long de l'année.
Tous les oiseaux d'ici en Babyloine
À tel écot [*régime*] une seule journée
Ne me t[i]endraient, non [*pas même*] une matinée.

---

1. Malgré cette orthographe, Littré pense que le terme vient de « vin d'Hippocrate » : infusion de cannelle, d'amandes douces, de musc et d'ambre dans du vin sucré.
2. « Ils ne se contenteraient pas d'une rôtie de pain bis ».

LE TESTAMENT

Or s'ébatte, de par Dieu, Franc Gontier,
Hélène o[u] lui, sous le bel églantier :
Si bien leur est, cause n'ai qu'il me pèse ;
Mais quoi qu'il soit du laboureux métier,
Il n'est trésor que de vivre à son aise.

Prince, jugez, pour tous nous accorder.
Quant est de moi, mais qu'à nul ne déplaise,
Petit enfant, j'ai ouï recorder [*entendu raconter*] :
Il n'est trésor que de vivre à son aise.

CXLIV

Item, pour ce que sait sa Bible
Mademoiselle de Bruyères,
Donne prêcher hors l'Évangile
À elle et à ses bachelières,
Pour retraire ces villotières[1]
Qui ont le bec si affilé,
Mais que ce soit hors cimetières,
Trop bien au marché au filé [*au tissu*].

---

1. « Pour ramener ces coureuses dans le droit chemin ».

Ballade des femmes de Paris

Quoi qu'on tient belles langagières
Florentines, Vénitiennes,
Assez pour être messag[i]ères,
Et mêmement les anciennes [*surtout les vieilles*] ;
Mais soient Lombardes, Romaines,
Genevoises [*Génoises*] , à mes périls [*je m'en porte garant*],
Pi[é]montoises, Savoisiennes,
Il n'est bon bec[1] que de Paris.

De beau parler tiennent chaïeres [*chaires*],
Ce dit-on, les Napolitaines,
Et sont très bonnes caquetières
Allemandes et Prussiennes ;
Soient Grecques, Égyptiennes,
De Hongrie ou d'autre pays,
Espagnoles ou Catelennes,
Il n'est bon bec que de Paris.

Brettes [*Bretonnes*], Suisses n'y savent gu[i]ères,
Gasconnes, n'aussi Toulousaines :
De Petit-Pont deux hareng[i]ères
Les concluront [*leur cloueront le bec*], et les Lorraines,
Anglaises et Calaisiennes,
(Ai-je beaucoup de lieux compris ?)
Picardes de Valenciennes ;
Il n'est bon bec que de Paris.

Prince, aux dames parisiennes
De bien parler donnez le prix ;
Quoi que l'on die [*dise*] d'Italiennes,
Il n'est bon bec que de Paris.

---

1. Pour Littré, le « bec », c'est la parole, la langue, le babil, et « avoir bon bec » signifie parler avec vivacité, et une certaine malice.

CXLV

Regarde m'en deux, trois, assises
Sur le bas du pli de leurs robes,
En ces moutiers [*couvents*], en ces églises ;
Tire-toi près, et ne te hobe[s] [*ne bouge plus*] ;
Tu trouveras là que Macrobe[s]
Oncques [*jamais*] ne fit tels jugements.
Entends ; quelque chose en dérobe[s] :
Ce sont de beaux enseignements.

CXLVI

Item, et au mont de Montmartre,
Qui est un lieu mout [*très*] ancien,
Je lui donne et adjoins le tertre
Qu'on dit le mont Valérien ;
Et, outre plus, un quartier d'an [*trois mois*]
Du pardon [*indulgence*] qu'apportai de Rome :
Si [*ainsi*] ira maint bon chrétien
Voir l'abbaye où il n'entre homme.

CXLVII

Item, varlets et chambrières
De bons hôtels (rien [*en rien*] ne me nuit)
Feront tartes, flans et goyères [*gougères*],
Et grand rallias [*banquet*] à myenuit [*minuit*]
(Rien n'y font sept pintes ni huit),
Tant que gisent seigneur et dame ;
Puis après, sans mener grand bruit,
Je leur ramentois [*rappelle*] le jeu d'âne.

CXLVIII

Item, et à filles de bien,
Qui ont pères, mères et antes [tantes],
Par m'âme ! je ne donne rien,
Car j'ai tout donné aux servantes.
Si fussent-ils [elles] de peu contentes :
Grand bien leur fissent maints lopins [morceaux],
Aux pauvres filles, ennementes[1] !
Qui se perdent aux Jacopins,

CXLIX

Aux Célestins et aux Chartreux.
Quoique vie mènent étroite,
Si ont-ils largement entre eux
Dont pauvres filles ont souffraite [disette] ;
Témoin Jacqueline et Perrette
Et Isabeau qui dit : « Enné[2] ! »,
Puisqu'ils en ont telle disette,
À peine en serait-on damné.

CL

Item, à la Grosse Margot
Très douce face et portraiture,
Foi que dois brulare bigod [by Lord, by God],

1. Selon les éditions, populaires ou savantes, on trouve ici, à la place du mot
ennementes – dont le sens serait « en vérité », « certes », et qui pourrait être
un « juron de jeune fille » –, les mots endementes ! « pendant ce temps », et
aussi les mots ententes ou avenantes.
2. Abréviation d'« ennementes ! » ; voir note précédente.

Assez dévote créature ;
Je l'aime de propre nature,
Et elle moi, la douce sade [*gracieuse*]
Qui la trouvera d'aventure [*par hasard*],
Qu'on lui lise cette ballade.

Ballade de la Grosse Margot

Si j'aime et sers la belle de bon hait [*cœur*],
M'en devez-vous tenir à [*pour*] vil ni sot ?
Elle a en soi des biens à fin souhait.
Pour son amour ceins bouclier[1] et passot [*épée*] ;
Quand viennent gens, je cours et happe un pot,
Au vin m'enfuis sans démener grand bruit ;
Je leur tends eau, fromage, pain et fruit.
S'ils payent bien, je leur dis : « *Bene stat* [*c'est bon*] ;
Retournez-ci, quand vous serez en ru[i]t,
En ce bordeau [*bordel*] où tenons notre état. »

Mais adoncques il y a grand déhait [*déplaisir*]
Quand sans argent s'en vient coucher Margot ;
Voir ne la puis, mon cœur à mort la hait.
Sa robe prends, demi-ceint [*petite ceinture*] et surcot [*robe*],
Si lui jure qu'il tendra pour l'écot [*remplaceront l'écot*].
Par les côtes se prend : « C'est Antéchrist ! »
Crie et jure par la mort Jésus-Christ
Que non fera. Lors j'empoigne un éclat [*morceau de bois*] ;
Dessus son nez lui en fais un écrit [*marque*],
En ce bordeau où tenons notre état.

Puis paix se fait et me lâche un gros pet,
Plus enflée qu'un vlimeux escarbot [*scarabée venimeux*].
Riant m'assied son poing sur mon sommet [*tête*],
« Gogo ! » me dit, et me fiert le jambot [*frappe la cuisse*].
Tous deux, ivres, dormons comme un sabot,
Et au réveil, quand le ventre lui bruit,
Monte sur moi, qui ne gâte son fruit.
Sous elle geins, plus qu'un ais [*planche*] me fais plat,
De paillarder tout elle me détruit,
En ce bordeau où tenons notre état.

---

1. « Bouclier » compte ici deux syllabes.

Vente, grêle, gèle, j'ai mon pain cuit.
Ie suis paillard, la paillarde me suit.
Lequel vaut mieux ? Chacun bien s'entresuit.
L'un l'autre vaut ; c'est à mau [*mauvais*] rat mau chat.
Ordure aimons, ordure nous assuit [*poursuit*] ;
Nous défuyons honneur, il nous défuit,
En ce bordeau où tenons notre état.

CLI

Item, à Marion l'Idole
Et la grand Jeanne de Bretaigne
Donne tenir publique école
Où l'écolier le maître enseigne,
Lieu n'est où ce marché se teigne [*tienne*]
Sinon à la grille [*prison*] de Meun[g] ;
De quoi je dis : « Fi de l'enseigne,
Puisque l'ouvrage est si commun ! »

CLII

Item, et à Noël Jolis
Autre chose je ne lui donne
Fors [*que*] plein poing d'osiers frais cueillis
En mon jardin ; je l'abandonne.
Châtoy [*châtiment*] est une belle aumône,
Âme n'en doit être marri[e] :
Onze-vingts coups lui en ordonne,
Livrés par la main de Henri[1].

CLIII

Item, ne sais qu'à l'Hôtel-Dieu
Donner, n'à pauvres hôpitaux ;
Bourdes n'ont ici temps ni lieu,
Car pauvres gens ont assez maux.
Chacun leur envoie leurs os [*restes*]

1. « Le bourreau de Paris du temps de Louis XI s'appelait Henri Cousin »
(Claude Fauchet).

Les mendiants ont eu mon oie ;
Au fort [*enfin*] ils en auront les os :
À menue gent, menue monnoie.

CLIV

Item, je donne à mon barbier
Qui se nomme Colin Galerne,
Près voisin d'Angelot l'herbier [*herboriste*],
Un gros glaçon (pris où ? en Marne),
Afin qu'à son aise s'hiverne.
De l'estomac le tienne près :
Si l'hiver ainsi se gouverne,
Il aura chaud l'été d'après.

CLV

Item, rien aux Enfants trouvés ;
Mais les perdus faut que console.
Si [*aussi*] doivent être retrouvés,
Par droit, sur [*chez*] Marion l'Idole.
Une leçon de mon école
Leur lirai, qui ne dure guère.
Tête n'aient dure ni folle ;
Écoutent [*qu'ils écoutent*] ! Car c'est la dernière.

Belle leçon aux enfants perdus

CLVI

« Beaux enfants, vous perdez la plus
Belle rose de vo [*votre*] chapeau ;
Mes clercs près prenants comme glu[s],
Si vous allez à Montpipeau
Ou à Rueil, gardez la peau :
Car pour s'ébattre en ces doux lieux,
Cuidant que vausît le rappeau[1],
La perdit Colin de Cayeux.

CLVII

« Ce n'est pas un jeu de trois mailles [*un petit jeu*],
Où va corps, et peut-être l'âme.
Qui perd, rien[s] n'y sont repentailles
Qu'on n'en meure à honte et diffame [*déshonneur*] ;
Et qui gagne n'a pas à [*pour*] femme
Dido, la reine de Carthage.
L'homme est donc bien fol et infâme
Qui, pour si peu, couche [*risque*] tel gage.

---

1. « Croyant qu'il pourrait faire appel à la justice ecclésiastique » – moins sévère que la justice royale.

CLVIII

« Qu'un chacun encore m'écoute !
On dit, et il est vérité,
Que charterie [*gain d'un charretier*] se boit toute,
Au feu l'hiver, au bois l'été.
S'argent avez, il n'est enté [*mis de côté*],
Mais le dépendez tôt et vite.
Qui en voyez-vous hérité ?
Jamais mal acquit ne profite.

Ballade de bonne doctrine à ceux de mauvaise vie

« Car ou soi[e]s porteur de bulles,
Pipeur [*tricheur*] ou hasardeur de dés,
Tailleur de faux coins [*faux-monnayeur*] et te brûles
Comme ceux qui sont échaudés,
Traîtres parjur[e]s, de foi vidés ;
Soi[e]s larron, ravis ou pilles :
Ou en va l'acquêt, que cuidez [*croyez*] ?
Tout aux tavernes et aux filles.

« Rime, raille, cymbale, luthe[s],
Comme fol feintif [*trompeur*], éhonté[s] ;
Farce, brouille [*bonimente*], joue des flûtes ;
Fais, ès villes et ès cités
Farces, jeux et moralités,
Gagne au brelan, au glic [*jeu de cartes*], aux quilles,
Aussi bien va, or écoutez !
Tout aux tavernes et aux filles.

« De tels ordures te recules ?
Laboure, fauche champs et prés,
Sers et panse chevaux et mules,
S'aucunement tu n'es lettré[s] ;
Assez auras, si prends en gré[s] [*si tu es d'accord*].
Mais, si chanvre broyes ou tilles [*défibres*],
Ne tend ton labour qu'as ouvré[s]
Tout aux tavernes et aux filles ?

« Chausses, pourpoints aiguilletés,
Robes, et toutes vos drapilles,
Ains [*avant*] que vous fassiez pis, portez
Tout aux tavernes et aux filles.

111

CLIX

« À vous parle, compains de galle [*débauche*] :
Mal des âmes et bien du corps,
Gardez-vous tous de ce mau [*mauvais*] hâle
Qui noircit les gens quand sont morts :
Eschevez-le [*évitez-le*], c'est un mal mors [*mauvaise morsure*] ;
Passez-vous [*privez-vous-en*] au mieux que pourrez ;
Et, pour Dieu, soyez tous records [*rappelez-vous*]
Qu'une fois viendra que mourrez. »

CLX

Item, je donne aux Quinze-Vingts
(Qu'autant vaudrait nommer Trois-Cents)
De Paris, non pas de Provins,
Car à eux tenu je me sens.
Ils auront, et je m'y consens,
Sans les étuis, mes grands lunettes,
Pour mettre à part [*séparer*], aux Innocents[1],
Les gens de bien des déshonnêtes.

CLXI

Ici n'y a ni ris ni jeu.
Que leur valut avoir chevances [*richesses*],
N'en grands lits de parement jeu[2],

1. Le cimetière des Innocents, près des Halles, comportait quatre « charniers », galeries voûtées où, après les avoir exhumés, on entassait les ossements des trépassés afin de laisser place à de nouvelles tombes.
2. « Ni d'être couchés en grands lits de parade ». *Jeu* est ici une forme du participe passé de *gésir*, « être couché ».

Engloutir vins en grosses panses,
Mener joie, fêtes et danses,
Et de ce [*cela*] prêt être à toute heure ?
Toutes faillent [*finissent*] telles plaisances,
Et la coulpe [*souillure*] si en demeure.

CLXII

Quand je considère ces têtes
Entassées en ces charniers,
Tous furent maîtres des requêtes,
Au moins de la Chambre aux Deniers,
Ou tous furent porte-paniers [*portefaix*] :
Autant puis l'un que l'autre dire ;
Car d'évêques ou lanterniers [*porteurs de lanternes*],
Je n'y connais rien à redire [*je n'y vois nulle différence*].

CLXIII

Et icelles qui s'inclinaient
Unes contre autres [*face à face*] en leurs vies,
Desquelles les unes régnaient,
Des autres craintes et servies,
Là les vois toutes assouvies [*parvenues à leur fin*],
Ensemble en un tas pêle-mêle.
Seigneuries leur sont ravies ;
Clerc ni maître ne s'y appelle.

CLXIV

Or ils sont morts, Dieu ait leurs âmes !
Quant est des corps, ils sont pourris,
Aient été seigneurs ou dames,
Souef [*délicatement*] et tendrement nourris
De crème, fromentée [*bouillie*] ou riz ;
Leurs os sont déclinés [*réduits*] en poudre,
Auxquels ne chaut [*n'importe*] d'ébats ni ris.
Plaise au doux Jésus les absoudre.

CLXV

Aux trépassés je fais ce lais [*legs*]
Et icelui je communique
À régents, cours, sièges, palais,
Haineurs [*haïsseurs*] d'avarice l'inique,
Lesquels pour la chose publique
Se sèchent les os et les corps :
De Dieu et de saint Dominique
Soient absous quand seront morts.

CLXVI

Item, rien à Jacquet Cardon,
Car je n'ai rien pour lui d'honnête,
Non pas que le jette abandon [*laisse sans ressources*],
Sinon cette bergeronnette [*chanson de berger*] ;

114

S'elle eût le chant [*l'air de*] *Marionnette*
Fait pour Marion la Peautarde,
Ou d'*Ouvrez votre huis, Guillemette,*
Elle allât bien à la moutarde[1] :

---

1. *Aller à la moutarde* signifiait « chanter en chœur un air connu », « répéter sur tous les toits ». Voir Rabelais, *Pantagruel,* XXI : « ... et en eût fait une chanson, dont les petits enfants allaient à la moutarde ».

Chanson

Au retour de dure prison
Où j'ai laissé presque la vie,
Si Fortune a sur moi envie
Jugez s'elle fait méprison [*si elle se trompe*] !
Il me semble que, par raison,
Elle dût bien être assouvie
      Au retour.

Si si pleine est de déraison
Que veuille que du tout dévie [*je meurs*],
Plaise à Dieu que l'âme ravie
En soit là-sus [*là-haut*], en sa maison,
      Au retour !

CLXVII

Item, donne à maître Lomer,
Comme extrait [*né*] que je suis de fée,
Qu'il soit bien aimé (mais d'aimer
Fille en chef [*tête nue*] ou femme coiffée,
Jà [*déjà*] n'en ait la tête échauffée)
Et qu'il ne lui coûte une noix
Faire un soir cent fois la faffée [*l'amour*],
En dépit d'Ogier le Danois[1].

CLXVIII

Item, donne aux amants enfermes [*transis*]
Outre le lais Alain Chartier[2],
À leurs chevets, de pleurs et lermes [*larmes*]
Trétout fin [*tout à fait*] plein un bénitier,
Et un petit brin d'églantier,
Qui soit tout vert, pour goupillon,
Pourvu qu'ils diront un psautier [*chapelet*]
Pour l'âme du pauvre Villon.

CLXIX

Item, à maître Jacques James,
Qui se tue d'amasser biens,

1. Héros de la *Chanson de Roland*, célèbre pour ses performances de bouche et d'alcôve.
2. Le poète Alain Chartier (1385-1435), dans *La Belle Dame sans merci*, fait en effet allusion à un legs aux amoureux : *Je laisse aux amoureux malades / Qui ont espoir d'allègement, / Faire chansons, dits et ballades, / Chacun en son entendement...*

Donne fiancer tant de femmes
Qu'il voudra, mais d'épouser, rien[s].
Pour qui amasse-il ? Pour les siens.
Il ne plaint fors que ses morceaux[1] ;
Ce qui fut aux truies, je tiens
Qu'il doit de droit être aux pourceaux.

CLXX

Item, sera le sénéchal,
Qui une fois paya mes dettes,
En récompense maréchal
Pour ferrer oues [*oies*] et canettes.
Je lui envoie ces sornettes
Pour soi désennuyer ; combien,
S'il veut, fasse-en des allumettes :
De beau chanter s'ennuie-on bien.

CLXXI

Item, au chevalier du Guet
Je donne deux beaux petits pages,
Philibert et le gros Marquet,
Qui très bien servi, comme sages,
La plus partie de leurs âges,
Ont le prévôt des maréchaux,
Hélas ! s'ils sont cassés [*privés*] de gages,
Aller leur faudra tous déchaux [*nu-pieds*].

1. « Il ne regrette rien, sauf ses frais de bouche ».

CLXXII

Item, à Chapelain je laisse
Ma chapelle à simple tonsure,
Chargée d'une sèche messe [*basse*]
Où il ne faut pas grand lecture.
Résigné lui eusse ma cure,
Mais point ne veut de charge d'âmes ;
De confesser, ce dit, n'a cure
Sinon chambrières et dames.

CLXXIII

Pour ce que sait bien mon entente[1],
Jean de Calais, honorable homme,
Qui ne me vit des ans à trente
Et ne sait comme je me nomme,
De tout ce testament, en somme,
S'aucun y a difficulté,
Ôter jusqu'au ras d'une pomme
Je lui en donne faculté.

CLXXIV

De le gloser et commenter,
De le définir et décrire,
Diminuer ou augmenter,
De le canceller [*biffer*] et prescrire [*annuler*]

1. « Parce qu'il connaît bien ma manière ». Selon Littré, *entente* est un terme d'art, qui peut avoir le sens d'« intelligence dans la distribution des parties d'une composition ».

De sa main, et ne sût écrire,
Interpréter et donner sens,
À son plaisir, meilleur ou pire :
À tout ceci je m'y consens.

CLXXV

Et s'aucun, dont n'ai connaissance,
Était allé de mort à vie,
Je veux et lui donne puissance,
Afin que l'ordre soit suivi[e],
Pour être mieux parassouvi[e] [*parachevé*],
Que cette aumône ailleurs transporte,
Sans se l'appliquer par envie :
À son âme [*conscience*] je m'en rapporte.

CLXXVI

Item, j'ordonne à Sainte-Avoie[1]
Et non ailleurs ma sépulture ;
Et afin que chacun me voie,
Non pas en chair, mais en peinture,
Que l'on tire mon estature [*portrait*]
D'encre, s'il ne coûtait trop cher.
De tombel [*tombeau*] ? rien : je n'en ai cure,
Car il grèverait [*défoncerait*] le plancher.

---

1. Être enterré à Sainte-Avoie est une boutade, car cette chapelle était sise en étage.

CLXXVII

Item, veux qu'autour de ma fosse
Ce qui s'ensuit, sans autre histoire [*formule*],
Soit écrit en lettre assez grosse,
Et qui n'aurait point d'écritoire,
De charbon ou de pierre noire,
Sans en rien entamer le plâtre ;
Au moins sera de moi mémoire,
Telle qu'elle est d'un bon folâtre.

ÉPITAPHE

CI-GÎT ET DORT EN CE SOLIER [*grenier*],
QU'AMOUR OCCIT DE SON RAYON [*flèche*],
UN PAUVRE PETIT ÉCOLIER
QUI FUT NOMMÉ FRANÇOIS VILLON.
ONCQUES [*jamais*] DE TERRE N'EUT SILLON.
IL DONNA TOUT, CHACUN LE SAIT :
TABLES, TRÉTEAUX, PAIN, CORBILLON.
GALANTS, DITES EN CE VERSET :

VERSET
[Rondeau]

REPOS ÉTERNEL DONNE À CIL [*celui*],
SIRE, ET CLARTÉ PERPÉTUELLE,
QUI VAILLANT PLAT NI ÉCUELLE
N'EUT ONCQUES, N'UN BRIN DE PERSIL.
IL FUT RES [*rasé*], CHEF, BARBE ET SOURCIL,
COMME UN NAVET QU'ON RET [*racle*] OU PÈLE.
REPOS ÉTERNEL DONNE À CIL.

RIGUEUR LE TRANSMIT EN EXIL
ET LUI FRAPPA AU CUL LA PELLE,
NONOBSTANT QU'IL DÎT : « J'EN APPELLE ! »
QUI N'EST PAS TERME TROP SUBTIL.
REPOS ÉTERNEL DONNE À CIL.

CLXXVIII

Item, je veux qu'on sonne à branle [*à la volée*]
Le gros beffroi qui est de verre ;
Combien qu'il n'est cœur qui ne tremble,
Quand de sonner est à son erre [*en train*].
Sauvé a mainte bonne terre,
Le temps passé, chacun le sait :
Fussent gens d'armes ou tonnerre,
Au son de lui, tout mal cessait.

CLXXIX

Les sonneurs auront quatre miches,
Et, si c'est peu, demi-douzaine ;
Autant n'en donnent les plus riches,
Mais ils seront de Saint-Étienne [*-du-Mont*].
Volant est homme de grand peine :
L'un en sera ; quand j'y regarde,
Il en vivra une semaine.
Et l'autre ? Au fort [*en fait*], Jean de la Garde.

CLXXX

Pour tout ce [*cela*] fournir et parfaire
J'ordonne mes exécuteurs,
Auxquels fait bon avoir affaire
Et contentent bien leurs detteurs [*débiteurs*].
Ils ne sont pas mout [*très*] grands vanteurs,
Et ont bien de quoi, Dieu merci[s] !
De ce fait seront directeurs.
Écris : je t'en nommerai six.

123

CLXXXI

C'est maître Martin Bellefaye,
Lieutenant du cas criminel.
Qui sera l'autre ? J'y pensoye :
Ce sera sire Colombel ;
S'il lui plaît et il lui est bel [*agréable*],
Il entreprendra cette charge.
Et l'autre ? Michel Jouvenel.
Ces trois seuls, et pour tout, j'en charge.

CLXXXII

Mais, au cas qu'ils s'en excusassent,
En redoutant les premiers frais,
Ou totalement récusassent,
Ceux qui s'ensuivent ci-après
Institue, gens de bien très :
Philip Brunel, noble écuyer,
Et l'autre, son voisin d'emprès [*proche*],
Si est maître Jacques Raguier,

CLXXXIII

Et l'autre, maître Jacques James,
Trois hommes de bien et d'honneur,
Désirant de sauver leurs âmes
Et doutant [*craignant*] Dieu Notre-Seigneur.
Plus tôt y mettraient du leur
Que cette ordonnance ne baillent [*exécutent*] ;
Point n'auront de contrerôleur,
Mais à leur bon plaisir en taillent [*disposent*].

CLXXXIV

Des testaments qu'on [*celui qu'on*] dit le maître
De mon fait n'aura *quid* ni *quod* ;
Mais ce fera un jeune prêtre
Qui est nommé Thomas Tricot.
Volontiers busse à son écot [*à ses fraix*],
Et qu'il me coûtât ma cornette[1] !
S'il sût jouer à un tripot,
Il eût de moi le *Trou Perrette*[2].

CLXXXV

Quant au regard du luminaire[3],
Guillaume du Ru j'y commets.
Pour porter les coins du suaire,
Aux exécuteurs le remets.
Trop plus mal me font qu'oncques mais[4]
Pénil [*poil*], cheveux, barbe, sourcils.
Mal me presse ; est temps désormais
Que crie à toutes gens merci[s] [*miséricorde*].

1. La cornette était une large bande de soie que les docteurs de l'Université portaient autour du cou.
2. « C'est un tripot en la Cité » (Claude Fauchet).
3. Le *luminaire* désigne l'ensemble des torches et des cierges au cours d'une cérémonie religieuse.
4. « Ils me font souffrir plus que jamais ».

Ballade de merci [*miséricorde*]

À chartreux et à célestins,
À mendiants et à dévotes,
À musards [*paresseux*] et claquepatins [*élégants*],
À servants [*amoureux*] et filles mignottes
Portant surcots et justes [*moulantes*] cottes,
À cuidereaux [*vaniteux*] d'amour transis,
Chaussant sans méhaing [*douleur*] fauves bottes,
Je crie à toutes gens merci[s].

À fillettes montrant tétins,
Pour avoir plus largement hôtes,
À ribleurs [*rôdeurs*], mouveurs de hutins [*querelleurs*],
À bateleurs traînant marmottes,
À fous et folles, sots et sottes,
Qui s'en vont sifflant six à six,
À marmousets et mariottes [*garçonnets et fillettes*],
Je crie à toutes gens merci[s].

Sinon aux traîtres chiens mâtins
Qui m'ont fait ronger dures crôtes [*croûtes*]
Et mâcher maints soirs et matins,
Qu'ores je ne crains pas trois crottes.
Je fisse pour eux pets et rottes ;
Je ne puis, car je suis assis.
Au fort [*enfin*], pour éviter riottes [*querelles*],
Je crie à toutes gens merci[s].

Qu'on leur froisse les quinze côtes
De gros maillets forts et massis,
De plombées [*bâtons plombés*] et tel[le]s pelotes.
Je crie à toutes gens merci[s].

Autre ballade [Ballade finale]

Ici se clôt le testament
Et finit du pauvre Villon.
Venez à son enterrement,
Quand vous orrez [*entendrez*] le carillon,
Vêtus rouge com vermillon,
Car en amour mourut martyr ;
Ce jura-il sur son couillon
Quand de ce monde vout [*voulut*] partir.

Et je crois bien que pas n'en ment,
Car chassé fut comme un souillon
De ses amours haineusement ;
Tant que, d'ici à Roussillon,
Brosse n'y a ni brossillon [*haie ni buisson*]
Qui n'eût, ce dit-il sans mentir,
Un lambeau de son cotillon [*ses habits*],
Quand de ce monde vout partir.

Il est ainsi et tellement,
Quand mourut n'avait qu'un haillon ;
Qui plus, en mourant, malement
L'époignait [*le piquait*] d'Amour l'aiguillon ;
Plus aigu que le ranguillon [*ardillon*]
D'un baudrier[1] lui faisait sentir
(C'est de quoi nous émerveillon[s])
Quand de ce monde vout partir.

Prince, gent comme émerillon [*beau comme faucon*]
Sachez qu'il [*ce qu'il*] fit au départir :
Un trait but de vin morillon [*rouge*],
Quand de ce monde vout partir.

---

1. « Baudrier » compte ici deux syllabes.

POÉSIES DIVERSES

I

Ballade
[Ballade de bon conseil]

Hommes faillis, bersaudés [*troublés*] de raison,
Dénaturés et hors de connaissance,
Démis du sens, comblés de déraison,
Fols abusés, pleins de déconnaissance [*ignorance*],
Qui procurez contre [*accusez*] votre naissance,
Vous soumettant à détestable mort
Par lâcheté, las ! que ne vous remord
L'horribleté qui à honte vous mène ?
Voyez comment maint jeunes homs est mort
Par offenser et prendre autrui demaine [*le bien*].

Chacun [*que chacun*] en soi voie sa méprison [*méprise*],
Ne nous vengeons, prenons en patience ;
Nous connaissons que ce monde est prison :
Aux vertueux franchis [*affranchis*] d'impatience,
Battre, rouiller [*menacer*] pour ce n'est pas science,
Tollir [*enlever*], ravir, piller, meurtrir [*tuer*] à tort.
De Dieu ne chaut, trop de verté se tort[1]
Qui en tels faits sa jeunesse demène,
Dont à la fin ses poings douloureux tord
Par offenser et prendre autrui demaine.

---

1. « De Dieu ne se soucie et s'écarte trop de la vérité ».

Que vaut piper, flatter, rire en tra[h]ison,
Quêter, mentir, affirmer sans fiance [*certitude*],
Farcer, tromper, artifier [*préparer*] poison,
Vivre en péché, dormir en défiance
De son prochain sans avoir confiance ?
Pour ce conclus : de bien faisons effort,
Reprenons cœur [*courage*], ayons en Dieu confort [*secours*],
Nous n'avons jour certain en la semaine ;
De nos maux ont nos parents le ressort [*se ressentent*]
Par offenser et prendre autrui demaine.

Vivons en paix, exterminons discord ;
Ieunes et vieux, soyons tous d'un accord :
La loi le veut, l'apôtre le ramène [*répète*]
Licitement en l'épître romaine[1] ;
Ordre nous faut, état [*métier*] ou aucun port [*quelque appui*].
Notons ces points ; ne laissons le vrai port
Par offenser et prendre autrui demaine.

---

1. Saint Paul, Épître aux Romains, I, 12, 10. « Par amour fraternel, soyez pleins d'affection les uns pour les autres ; par honneur, usez de prévenances réciproques. »

II

Ballade

[Ballade des proverbes]

Tant gratte chèvre que mal gît,
Tant va le pot à l'eau qu'il brise,
Tant chauffe-on le fer qu'il rougit,
Tant le maille-on [*bat-on*] qu'il se débrise,
Tant vaut l'homme comme on le prise,
Tant s'éloigne-il qu'il n'en souvient,
Tant mauvais est qu'on le déprise,
Tant crie-l'on Noël qu'il vient.

Tant parle-on qu'on se contredit,
Tant vaut bon bruit [*réputation*] que grâce acquise,
Tant promet-on qu'on s'en dédit,
Tant prie-on que chose est acquise,
Tant plus est chère et plus est quise [*recherchée*],
Tant la quiert-on [*cherche-t-on*] qu'on y parvient,
Tant plus commune et moins requise [*prisée*],
Tant crie-l'on Noël qu'il vient.

Tant aime-on chien qu'on le nourrit,
Tant court chanson qu'elle est apprise,
Tant garde-on fruit qu'il se pourrit,
Tant bat-on place qu'elle est prise,
Tant tarde-on que faut [*échoue*] l'entreprise,
Tant se hâte-on que mal advient,
Tant embrasse-on que chet [*tombe*] la prise,
Tant crie-l'on Noël qu'il vient.

Tant raille-on que plus on n'en rit,
Tant dépent-on [*dépense*] qu'on n'a chemise,
Tant est-on franc [*généreux*] que tout y frit,
Tant vaut « Tiens » que chose promise,
Tant aime-on Dieu qu'on suit l'Église,
Tant donne-on qu'emprunter convient,
Tant tourne vent qu'il chet [*tombe*] en bise
Tant crie-l'on Noël qu'il vient.

Prince, tant vit fol qu'il s'avise [*s'assagit*],
Tant va-il qu'après il revient,
Tant le mate-on [*bat-on*] qu'il se ravise,
Tant crie-l'on Noël qu'il vient.

III

Ballade
[Ballade des menus propos]

Je connais [*reconnais*] bien mouches en lait,
Je connais à la robe l'homme,
Je connais le beau temps du laid,
Je connais au pommier la pomme,
Je connaît l'arbre à voir la gomme,
Je connais quand tout est de même[s],
Je connais qui besogne ou chomme [*chôme*],
Je connais tout, fors que [*sauf*] moi-même[s].

Je connais pourpoint au colet,
Je connais le moine à la gonne [*froc*],
Je connais le maître au valet,
Je connais au voile la nonne,
Je connais quand pipeur jargonne[1],
Je connais fols nourris de crèmes [*remèdes*],
Je connais le vin à la tonne,
Je connais tout, fors que moi-même[s].

Je connais cheval et mulet,
Je connais leur charge et leur somme,
Je connais Bietris et Belet [*Béatrix et Ysabel*],
Je connais jet [*jeton*] qui nombre et somme,
Je connais vision et somme [*rêve et sommeil*],

1. « Je comprends quand un voleur parle l'argot des truands ».

135

Je connais la faute des Boesmes[1],
Je connais le pouvoir de Rome,
Je connais tout, fors que moi-même[s].

Prince, je connais tout en somme,
Je connais colorés et blêmes,
Je connais mort qui tout consomme,
Je connais tout, fors que moi-même[s].

1. À prononcer ici « *bome* », pour la rime. Ce sont les habitants de la Bohême. Quant à leur « faute », il s'agit de l'hérésie des hussites, secte bohémienne fondée par Jean Hus, qui prônait une foi et des pratiques proches de celles des vaudois (profession de pauvreté, refus d'obéir aux pasteurs, etc.).

IV

Ballade
[Ballade des contre-vérités]

Il n'est soin [*souci*] que quand on a faim,
Ni service que d'ennemi,
Ni mâcher qu'un botel de fain [*botte de foin*],
Ni fort guet que d'homme endormi,
Ni clémence que félonie,
N'assurance que de peureux,
Ni foi que d'homme qui renie,
Ni bien conseillé qu'amoureux.

Il n'est engendrement qu'en boing [*bain*],
Ni bon bruit [*renom*] que d'homme banni,
Ni ris qu'après un coup de poing,
Ni lots [*gain*] que dettes mettre en ni [*nier ses dettes*],
Ni vraie amour qu'en flatterie,
N'encontre [*bonheur*] que de malheureux
Ni vrai rapport que menterie,
Ni bien conseillé qu'amoureux.

Ni tel repos que vivre en soin [*souci*],
N'honneur porter que dire : « Fi ! »,
Ni soi vanter que de faux coin [*fausse monnaie*],
Ni santé que d'homme bouffi,
Ni haut vouloir [*témérité*] que couardi[s]e,
Ni conseil que de furieux,
Ni douceur qu'en femme étourdie,
Ni bien conseillé qu'amoureux.

Voulez-vous que verté [*vérité*] vous di[s]e ?
Il n'est jouer qu'en maladie,
Lettre vraie que tragédie [*sincérité qu'en mensonge*],
Lâche homme que chevaleureux
Orrible son que mélodie,
Ni bien conseillé qu'amoureux.

V

Ballade

[Ballade contre les ennemis de la France]

Rencontré soit de bêtes feu jetant[s],
Que Jason vit, quérant [*cherchant*] la Toison d'or ;
Ou transmué d'homme en bête sept ans,
Ainsi que fut Nabuchodonosor ;
Ou perte il ait et guerre aussi vilaine
Que les Troyens pour la prise d'Hélène ;
Ou avalé [*précipité*] soit avec Tantalus
Et Proserpine aux infernaux palus [*marais de l'Enfer*] ;
Ou plus que Job soit en griève[1] souffrance
Tenant prison en la tour Dedalus [*Labyrinthe de Dédale*],
Qui mal voudrait au royaume de France !

Quatre mois soit en un vivier chantant[s],
La tête au fond, ainsi que le butor ;
Ou au Grand Turc vendu deniers comptants,
Pour être mis au harnais comme un tor [*bœuf*] ;
Ou trente ans soit, comme la Madeleine[2],
Sans drap vêtir de linge ni de laine ;
Ou soit noyé comme fut Narcissu[s],
Ou aux cheveux, comme Absalon, pendus,
Ou, comme fut Judas, par despérance ;
Ou puît périr comme Simon Magus[3],
Qui mal voudrait au royaume de France !

---

1. « Griefve » ou « grièvre » (féminin de l'adjectif « grief », qui signifie pesant, grave) compte ici deux syllabes.
2. Marie de Magdala (ou de Magadala, ou sainte Madeleine) resta recluse dans une grotte de Provence, la Sainte-Baume (*baumo* en provençal signifie « grotte »), où elle fit pénitence pendant les trente dernières années de sa vie.
3. Simon le Magicien, qui voulut acheter aux apôtres le don de faire des

D'Octavien [*Auguste*] puît revenir le temps :
C'est qu'on lui coule au ventre son trésor ;
Ou qu'il soit mis entre meules flottant[s]
En un moulin, comme fut saint Victor[1] ;
Ou transglouti en la mer, sans haleine,
Pis que Jonas au corps de la baleine ;
Ou soit banni de la clarté Phébus,
Des biens Junon et du soulas [*plaisir*] Vénus,
Et du dieu Mars soit puni à outrance,
Ainsi que fut roi Sardanapalus,
Qui mal voudrait au royaume de France !

Prince, porté soit des serfs Eolus [*les vents*]
Dans la forêt où domine Glaucus ;
Ou privé soit de paix et d'espérance :
Car digne n'est de posséder vertus
Qui mal voudrait au royaume de France !

---

miracles, et qui, selon les actes de Pierre (apocryphes), serait mort sur le forum romain, en présence de l'empereur Claude, devant lequel il tentait de voler ; de lui vient le nom de *simonie*, par lequel on désigne le trafic des charges et sacrements ecclésiastiques.
1. Saint Victor de Marseille fut en effet écrasé sous une meule.

VI

Rondeau

Jenin l'Avenu,
Va-t'en aux étuves [*bains*] ;
Et toi là venu,
Jenin l'Avenu,

Si te lave nu
Et te baigne ès cuves.
Jenin l'Avenu,
Va-t'en aux étuves.

VII

Ballade

[Ballade du concours de Blois]

Je meurs de soif auprès de la fontaine,
Chaud comme feu, et tremble dent à dent ;
En mon pays suis en terre lointaine ;
Lez [*près d'*] un brasier frissonne tout ardent ;
Nu comme un ver, vêtu en président,
Je ris en pleurs et attends [*espère*] sans espoir ;
Confort [*confiance*] reprends en triste désespoir ;
Je m'éjouis et n'ai plaisir aucun ;
Puissant je suis sans force et sans pouvoir,
Bien recueilli [*accueilli*], débouté [*repoussé*] de chacun.

Rien ne m'est sûr que la chose incertaine ;
Obscur, fors [*sauf*] ce qui est tout évident ;
Doute ne fais, fors [*sauf*] en chose certaine ;
Science tiens à soudain accident[1] ;
Je gagne tout et demeure perdant ;
Au point du jour dis : « Dieu vous doint [*donne*] bonsoir ! »
Gisant envers [*sur le dos*], j'ai grand paour [*peur*] de choir ;
J'ai bien de quoi et si [*pourtant*] n'en ai pas un ;
Échoite [*héritage*] attend et d'homme ne suis hoir [*héritier*],
Bien recueilli, débouté de chacun.

De rien n'ai soin [*souci*], si mets toute ma peine
D'acquérir biens et n'y suis prétendant ;
Qui mieux me dit, c'est cil [*celui*] qui plus m'ataine [*offense*],
Et qui plus vrai, lors plus me va bourdant [*mentant*] ;
Mon ami est qui me fait entendant [*croire*]

---

1. « J'ai connaissance d'événement imprévu ».

D'un cygne blanc que c'est un corbeau noir ;
Et qui me nuit, crois qu'il m'aide à [*de son*] pouvoir ;
Bourde [*mensonge*], verté [*verité*], aujourd'hui m'est tout un ;
Je retiens tout, rien ne sais concevoir,
Bien recueilli, débouté de chacun.

Prince clément[1], or [*qu'il*] vous plaise savoir
Que j'entends mout [*comprend bien*] et n'ai sens ni savoir :
Partial suis, à toutes lois commun [*de l'avis de tous*].
Que sais-je plus ? Quoi ? Les gages ravoir,
Bien recueilli, débouté de chacun.

---

1. L'envoi est à Charles d'Orléans.

VIII

Épitre à Marie d'Orléans
[Dit de la naissance de Marie d'Orléans]

Jam nova progenies celo demittitur alto[1]

Ô louée conception
Envoyée çà-jus [*ici-bas*] des Cieux,
Du noble lis digne scion [*rejeton*],
Don de Jésus très précieux,
MARIE, nom très gracieux,
Font [*fontaine*] de pitié, source de grâce,
La joie, confort [*réconfort*] de mes yeux,
Qui notre paix bâtit et brasse !

La paix, c'est assavoir, des riches,
Des pauvres le sustentement [*soutien*],
Le rebours [*ruine*] des félons et chiches.
Très nécessaire enfantement,
Conçu, porté honnêtement,
Hors le péché originel,
Que dire je puis saintement
Souvrain bien de Dieu éternel !

Nom recouvré, joie de peuple,
Confort des bons, de maux retraite ;
Du doux seigneur première et seule
Fille, de son clair sang extraite [*née*],
Du dextre côté Clovis traite [*sortie*] ;
Glorieuse image en tous faits,
Au haut ciel créée et portraite
Pour éjouir et donner paix !

1. « Du haut des Cieux une race nouvelle nous est envoyée », Virgile, *Églogues*, IV, 7.

En l'amour et crainte de Dieu
Ès nobles flancs César conçue,
Des petits et grands en tout lieu
À très grande joie reçue,
De l'amour Dieu traite [*tirée*], tissue,
Pour les discordés rallier [*réconcilier*]
Et aux enclos [*prisonniers*] donner issue,
Leurs liens et fers délier.

Aucunes [*certaines*] gens, qui bien peu sentent,
Nourris en simplesse et confits,
Contre le vouloir Dieu attentent,
Par ignorance déconfits,
Désirant que fussiez un fils ;
Mais qu'ainsi soit, ainsi m'aît [*m'aide*] Dieu[x],
Je crois que ce soit grands profits.
Raison : Dieu fait tout pour le mieux.

Du Psalmiste je prends les dits
Delectasti me, Domine,
In factura tua[1], si dis :
Noble enfant, de bonne heure né,
À toute douceur destiné,
Manne du Ciel, céleste don,
De tous bienfaits le guerdonné [*comblé*],
Et de nos maux [*fautes*] le vrai pardon !

1. « Vous m'avez réjoui, Seigneur, par vos œuvres », Psaume XCI.

[Double ballade]

Combien que j'ai lu en un dit :
Inimicus putes, y a,
Qui te presentem laudabit[1],
Toutefois, nonobstant cela,
Oncques [*jamais*] vrai [*sincère*] homme ne céla
En son courage aucun grand bien,
Qui ne le montrât çà et là :
On doit dire du bien le bien.

Saint Jean-Baptiste ainsi le fit,
Quand l'Agnel de Dieu décela [*révéla*].
En ce faisant pas ne méfit,
Dont sa voix ès tourbes [*parmi les foules*] vola ;
De quoi saint André[2] Dieu loua,
Qui de lui-ci ne savait rien,
Et au fils de Dieu s'aloua [*se mit au service*] :
On doit dire du bien le bien.

Envoyée de Jésus-Christ,
Rappelez çà-jus [*ici-bas*] par-deçà
Les pauvres que Rigueur proscrit
Et que Fortune bétourna [*fit tourner mal*].
Si sais bien comment il m'en va :
De Dieu, de vous, vie je tien[s].
Benoît[e] celle qui vous porta !
On doit dire du bien le bien.

1. « Qui te loue en ta présence, considère-le comme un ennemi. »
2. Pêcheur du lac de Tibériade. Disciple de Jean-Baptiste avant de l'être du Christ.

Ci, devant Dieu, fais connaissance [*j'annonce*]
Que créature fusse morte,
Ne fût votre douce naissance,
En charité puissante et forte
Qui ressuscite et réconforte
Ce que Mort avait pris pour sien ;
Votre présence me conforte :
On doit dire du bien le bien.

Ci vous rends toute obéissance,
À ce faire Raison m'exhorte,
De toute ma pauvre puissance ;
Plus n'est deuil [*douleur*] qui me déconforte,
N'autre ennui de quelconque sorte.
Vôtre je suis et non plus mien ;
À ce [*cela*] droit et devoir m'enhorte [*exhorte*] :
On doit dire du bien le bien.

Ô grâce et pitié très immense,
L'entrée de paix et la porte,
Somme de bénigne clémence,
Qui nos fautes toult [*ôte*] et supporte,
Si de vous louer me déporte [*détourne*],
Ingrat suis, et je le maintien[s],
Dont en ce refrain me transporte :
On doit dire du bien le bien.

Princesse, ce los [*louange*] je vous porte,
Que sans vous je ne fusse rien.
À vous et à tous m'en rapporte :
On doit dire du bien le bien.

Œuvre de Dieu, digne, louée
Autant que nulle créature,
De tous biens et vertu douée,
Tant d'esperit que de nature,
Que de ceux qu'on dit d'aventure,
Plus que rubis noble ou balais[1] ;
Selon de Caton l'écriture :
Patrem insequitur proles[2].

Port assuré, maintien rassis,
Plus que ne peut nature humaine,
Et eussiez des ans trente-six ;
Enfance en rien ne vous demène.
Que jour ne le di[s]e et semaine,
Je ne sais qui me le défend.
À ce propos un dit ramène :
De sage mère sage enfant.

Dont résume ce que j'ai dit :
Nova progenies celo,
Car c'est du poète le dit,
Jamjam demittitur alto[3].
Sage Cassandre, belle Écho,
Digne Judith, c[h]aste Lucrèce,
Je vous connais, noble Dido,
À [*pour*] ma seule dame et maîtresse.

---

1. Littré définit le rubis balais comme une pierre couleur de « vin paillet ».
2. « L'enfant suit les traces de son père. »
3. Villon dispose ici en deux octosyllabes le vers de Virgile cité en exergue page 144.

En priant Dieu, digne pucelle,
Qu'il vous doint [*donne*] longue et bonne vie ;
Qui vous aime, ma demoiselle,
Jà ne coure sur lui [*que jamais ne l'assaille*] envie.
Entière [*intègre*] dame et assouvie [*accomplie*],
J'espoir de vous servir ainçois [*avant*],
Certes, si Dieu plaît, que devie [*meure*]
Votre pauvre écolier FRANÇOIS.

IX

Épître à ses amis

Ayez pitié, ayez pitié de moi,
À tout le moins, si vous plaît, mes amis !
En fosse gis, non pas sous houx ni mai[1],
En cet exil auquel je suis transmis
Par Fortune, comme Dieu l'a permis.
Filles, amants, jeunes gens et nouveaux,
Danseurs, sauteurs, faisant les pieds de veaux [*des gambades*],
Vifs comme dards, aigus comme aiguillon,
Gosiers tintant clair comme cascaveaux [*grelots*],
Le laisserez là, le pauvre Villon ?

Chantres chantant à plaisance, sans loi,
Galants riant, plaisants en faits et dits,
Courant, allant, francs de faux or, d'aloi [*sans or, faux ou vrai*],
Gens d'esperit, un petit [*un peu*] étourdis,
Trop demeurez, car il meurt entandis [*pendant ce temps*].
Faiseurs de lais, de motets et rondeaux,
Quand mort sera, vous lui ferez chaudeaux [*bouillons*] !
Ou gît, il n'entre éclair ni tourbillon :
De murs épais on lui a fait bandeaux.
Le laisserez là, le pauvre Villon ?

Venez le voir en ce piteux arroi [*équipage*],
Nobles hommes, francs de quart [*d'impôts*] et de dix [*dîme*],
Qui ne tenez [*dépendez*] d'empereur ni de roi,
Mais seulement de Dieu de Paradis :

---

1. L'« arbre de mai », ou simplement le « mai », était un arbre ou un mat
planté en l'honneur de quelqu'un. Le vers *En fosse gis, non pas sous houx ni
mai* signifie : « Je suis en prison, et je ne suis pas à la fête ».

Jeûner fui faut dimanches et mardis,
Dont les dents a plus longues que râteaux ;
Après pain sec, non pas après gâteaux,
En ses boyaux verse eau à gros bouillon ;
Bas en [*à même la*] terre, table n'a ni tréteaux.
Le laisserez là, le pauvre Villon ?

Princes nommés, anciens, jouvenceaux,
Impétrez [*obtenez*]-moi grâces et royaux sceaux,
Et me montez en quelque corbillon [*nacelle*].
Ainsi le font, l'un à l'autre, pourceaux,
Car, où l'un brait, ils fuient à monceaux [*accourent en troupeau*].
Le laisserez là, le pauvre Villon ?

X

Requête à Monseigneur de Bourbon

Le mien seigneur et prince redouté
Fleuron de lys, royale géniture,
François Villon, que Travail [*peine*] a dompté
À coups orbes [*meurtrissants*], par force de batture,
Vous supplie par cette humble écriture
Que lui fassiez quelque gracieux prêt.
De s'obliger en toutes cours est prêt,
Si ne doutez que bien ne vous contente :
Sans y avoir dommage n'intérêt,
Vous n'y perdrez seulement que l'attente.

À prince n'a un denier emprunté,
Fors [*sauf*] à vous seul, votre humble créature.
De six écus que lui avez prêté[s],
Cela piéça [*depuis longtemps*] il mit en nourriture.
Tout se paiera ensemble, c'est droiture,
Mais ce sera légèrement et prêt [*sans tarder*] ;
Car, si du gland rencontre en la forêt
D'entour Patay, et châtaignes ont vente,
Payé serez sans délai ni arrêt :
Vous n'y perdrez seulement que l'attente.

Si je pusse vendre de ma santé
À un Lombard, usurier par nature,
Faute d'argent m'a si fort enchanté [*ensorcelé*]
Qu'en prendroie, ce cuide [*crois*], l'aventure [*le risque*].
Argent ne pends à gipon [*tunique*] n'à ceinture ;
Beau sire Dieu ! je m'ébahis que c'est
Que devant moi croix[1] ne se comparaît,

---

1. Le jeu est ici sur le mot « croix », qui désigne à la fois le gibet du Christ et une pièce de monnaie.

Sinon de bois ou pierre, que ne mente [*sans mentir*] ;
Mais s'une fois la vraie m'apparaît,
Vous n'y perdrez seulement que l'attente.

Prince du lys, qui à tout bien complaît,
Que cuidez-vous [*si vous saviez*] comment il me déplaît,
Quand je ne puis venir à mon entente [*guise*] ?
Bien m'entendez ; aidez-moi s'il vous plaît :
Vous n'y perdrez seulement que l'attente.

Au dos de la lettre

Allez, lettre[s], faites un saut ;
Combien que n'ayez pied ni langue,
Remontrez en votre harangue
Que faute d'argent si m'assaut [*m'assaille*].

XI
Le débat du cœur et du corps de Villon

Qu'est-ce que j'ois [*entends*] ? – Ce suis-je ! – Qui ? – Ton cœur,
Qui ne tiens mais [*plus*] qu'à un petit filet :
Force n'ai plus, substance ni liqueur,
Quand je te vois retrait [*retiré*] ainsi seulet,
Com pauvre chien tapi en reculet [*à l'écart*].
– Pour quoi est-ce ? – Pour ta folle plaisance.
– Que t'en chaut-il ? [*que t'importe ?*] – J'en ai la déplaisance.
– Laisse-m'en paix. – Pourquoi ? – J'y penserai.
– Qu'en sera-ce ? – Quand serai hors d'enfance.
– Plus ne t'en dis. – Et je m'en passerai.

– Que penses-tu ? – Être homme de valeur.
– Tu as trente ans : c'est l'âge d'un mulet ;
Est-ce enfance ? – Nenni. – C'est donc foleur [*folie*]
Qui te saisit ? – Par où, par le collet ?
– Rien ne connais. – Si fait. – Quoi ? – Mouche en lait ;
L'un est blanc, l'autre est noir[e], c'est la distance [*différence*].
– Est-ce donc tout ? – Que veux-tu que je tance ? [*débate*]
Si n'est assez, je recommencerai.
– Tu es perdu ! – J'y mettrai résistance.
– Plus ne t'en dis. – Et je m'en passerai.

– J'en ai le deuil [*de la peine*] ; toi, le mal et douleur.
Si fusses un pauvre idiot et folet,
Encore eusses de t'excuser couleur :
Si n'as-tu soin, tout t'est un, bel ou laid.
Ou la tête as plus dure qu'un jalet [*galet*],
Ou mieux te plaît qu'honneur cette méchance !
Que répondras à cette conséquence ?
– J'en serai hors quand je trépasserai.

154

– Dieu, quel [ré]confort ! Quelle sage éloquence !
Plus ne t'en dis. – Et je m'en passerai.

D'où vient ce mal ? – Il vient de mon malheur.
Quand Saturne me fit mon fardelet [*petit fardeau*],
Ces maux y mit, je le crois. – C'est foleur [*folie*] :
Son seigneur es et te tiens son valet.
Vois que Sal[o]mon écrit en son rolet :
« Homme sage, ce dit-il, a puissance
Sur planètes et sur leur influence. »
– Je n'en crois rien ; tel qu'ils [*elles*] m'ont fait serai.
– Que dis-tu ? – Dea[1] ! certes, c'est ma créance.
– Plus ne t'en dis. – Et je m'en passerai.

– **V**eux-tu vivre ? – Dieu m'en doint [*donne*] la puissance !
– **I**l te faut... – Quoi ? – Remords de conscience,
Lire sans fin. – En quoi ? – Lire en science,
Laisser les fols ! – Bien j'y aviserai.
– **O**r le retiens ! – J'en ai bien souvenance.
– **N**'attends pas tant que tourne à déplaisance.
Plus ne t'en dis. – Et je m'en passerai.

---

1. Cette exclamation se prononce « Da ! ».

XII

Problème

[Ballade au nom de la Fortune]

Fortune fus par clercs jadis nommée,
Que toi, François, crie et nomme meurtrière[1],
Qui n'es homme d'aucune renommée.
Meilleur que toi fais user en plâtrière[2],
Par pauvreté, et fouir en carrière ;
S'à honte vis, te dois-tu donques plaindre ?
Tu n'es pas seul ; si ne te dois complaindre.
Regarde et vois de mes faits de jadis,
Maints vaillants homs par moi morts et roidis ;
Et n'es, ce sais, envers eux un souillon.
Apaise-toi, et mets fin en tes dis.
Par mon conseil prends tout en gré [*résigne-toi*], Villon !

Contre grands rois me suis bien animée,
Le temps qui est passé çà en arrière :
Priam occis et toute son armée,
Ne lui valut [*servit*] tour, dongeon, ni barrière ;
Et Hannibal demeura-il derrière ?
En Carthage par Mort le fis atteindre ;
Et Scipion l'Africain fis éteindre ;
Jules César au sénat je vendis ;
En Égypte Pompée je perdis ;
En mer noyai Jason en un bouillon [*tourbillon*] ;
Et une fois Rome et Romains ardis [*brûlai*].
Par mon conseil prends tout en gré, Villon !

1. « Meurtrière » compte ici deux syllabes.
2. Deux syllabes.

Alexandre, qui tant fit de hémée[s] [*batailles*],
Qui voulut voir l'étoile poussinière [*les Pléiades*],
Sa personne par moi fut envlimée [*empoisonnée*] ;
Alphasar roi, en champ, sur sa bannière
Rué jus [*battu à*] mort. Cela est ma manière,
Ainsi l'ai fait, ainsi le maintiendrai :
Autre cause ni raison n'en rendrai.
Holophernes l'idolâtre maudis,
Qu'occit Judith (et dormait entandis ! [*pendant ce temps*])
De son poignard, dedans son pavillon ;
Absalon, quoi ? en fuyant le pendis.
Par mon conseil prends tout en gré, Villon !

Pour ce, François, écoute que te dis :
Si rien [*quelque chose*] pusse sans Dieu de Paradis,
À toi n'autre ne demeurrait haillon,
Car, pour un mal, lors j'en feroie dix.
Par mon conseil prends tout en gré, Villon !

XIII

[Quatrain]

Je suis François[1], dont il me poise [*pèse*],
Né de Paris emprès [*près de*] Pontoise,
Et de la corde d'une toise
Saura mon col que mon cul poise.

1. Pour Marcel Schwob, Villon ne fait pas ici mention de son prénom ; il faut comprendre « je suis français ».

XIV

L'Épitaphe Villon

Frères humains qui après nous vivez
N'ayez les cœurs contre nous endurcis,
Car, si pitié de nous pauvres avez,
Dieu en aura plus tôt de vous merci[s] [*miséricorde*].
Vous nous voyez ci attachés cinq, six :
Quant de la chair que trop avons nourrie,
Elle est piéça [*depuis longtemps*] dévorée et pourrie,
Et nous, les os, devenons cendre et poudre [*poussière*].
De notre mal [*que*] personne ne s'en rie ;
Mais priez Dieu que tous nous veuille absoudre !

Si frères vous clamons [*nommons*], pas n'en devez
Avoir dédain, quoique fûmes occis
Par justice. Toutefois, vous savez
Que tous hommes n'ont pas bon sens rassis ;
Excusez-nous, puisque sommes transis [*morts*],
Envers le fils de la Vierge Marie,
Que [*afin que*] sa grâce ne soit pour nous tarie,
Nous préservant de l'infernale foudre.
Nous sommes morts, âme ne nous harie [*tourmente*] ;
Mais priez Dieu que tous nous veuille absoudre !

La pluie nous a débués [*lessivés*] et lavés,
Et le soleil désséchés et noircis ;
Pies, corbeaux, nous ont les yeux cavés [*creusés*],
Et arraché la barbe et les sourcils.
Jamais nul temps nous ne sommes assis [*en repos*] ;
Puis çà, puis là, comme le vent varie,

À son plaisir sans cesser nous charrie,
Plus becquetés d'oiseaux que dés à coudre.
Ne soyez donc de notre confrérie ;
Mais priez Dieu que tous nous veuille absoudre !

Prince Jésus, qui sur tout a maîtrie [*pouvoir*],
Garde qu'Enfer n'ait de nous seigneurie :
À lui n'ayons que faire ni que soudre [*solder, payer*].
Hommes, ici n'a point de moquerie ;
Mais priez Dieu que tous nous veuille absoudre !

XV

Louange à la cour
[Requête à la cour de Parlement]

Tous mes cinq sens : yeux, oreilles et bouche,
Le nez, et vous, le sensitif [*toucher*], aussi ;
Tous mes membres où il y a repro[u]che,
En son endroit [*qu*]un chacun di[s]e ainsi :
« Souvraine Cour, par qui sommes ici,
Vous nous avez gardé de déconfire.
Or la langue seule ne peut suffire
À vous rendre suffisantes louanges ;
Si [*aussi*] parlons tous, fille du souvrain Sire,
Mère des bons et sœur des benoîts [*bienheureux*] anges ! »

« Cœur, fendez-vous, ou percez d'une broche,
Et ne soyez, au moins, plus endurci
Qu'au désert fut la forte bise roche
Dont le peuple des Juifs fut adouci [*abreuvé*] :
Fondez larmes et venez à merci [*miséricorde*] ;
Comme humble cœur qui tendrement soupire,
Loucz la Cour, conjointe au Saint-Empire,
L'heur des Français, le confort des étranges [*étrangers*],
Procréée là-sus [*là-haut*] au ciel empire [*dans l'empyrée*],
Mère des bons et sœur des benoîts anges !

« Et vous, mes dents, chacune si s'éloche [*se déchausse*] ;
Saillez avant, rendez toutes merci [*grâce*],
Plus hautement qu'orgue, trompe ni cloche,
Et de mâcher n'ayez ores [*plus*] souci ;

Considérez que je fusse transi,
Foie, poumon et rate, qui respire ;
Et vous, mon corps, qui vil êtes et pire
Qu'ours ni pourceau qui fait son nid ès fanges,
Louez la Cour avant qu'il vous empire,
Mère des bons et sœur des benoîts anges ! »

Prince, trois jours ne veuillez m'écondire [*m'éconduire*],
Pour moi pourvoir et aux miens « adieu » dire ;
Sans eux argent je n'ai, ici n'aux changes.
Cour triomphant, *fiat* [*qu'il soit fait*], sans me dédire,
Mère des bons et sœur des benoîts anges ! »

XVI

La question que fit Villon au clerc du guichet
[Ballade de l'appel]

Que vous semble de mon appel,
Garnier ? Fis-je sens ou folie ?
Toute bête garde sa pel [*peau*] ;
Qui la contraint, efforce ou lie,
S'elle peut, elle se délie.
Quand donc par plaisir volontaire
Chantée me fut cette homélie,
Était-il lors temps de me taire ?

Si fusse des hoirs Hue Capel,
Qui fut extrait de boucherie[1],
On ne m'eût, parmi ce drapel [*linge*],
Fait boire en cette écorcherie[2].
Vous entendez bien joncherie [*plaisanterie*] ?
Mais quand cette peine arbitraire
On me jugea [*m'infligea*] par tricherie,
Était-il lors temps de me taire ?

Cuidiez [*pensiez*]-vous que sous mon capel [*chapeau*]
N'y eût tant [*assez*] de philosophie
Comme de dire : « J'en appel[le] ? »
Si avait, je vous certifie,
Combien que point trop ne m'y fie.
Quand on me dit, présent [*en présence de*] notaire :
« Pendu serez ! » je vous affie [*confie*],
Était-il lors temps de me taire ?

---

1. On prétendait que Hugues Capet – que Villon nomme Hue Capel au vers précédent – descendait d'une famille de bouchers.
2. Lieu où l'on écorchait les bêtes de boucherie. Ici, il s'agit du lieu où était infligé la « question ».

Prince, si j'eusse eu la pépie [*soif*],
Piéçà [*depuis longtemps*] je fusse où est Clotaire,
Aux champs debout comme une épie [*épouvantail*].
Était-il lors temps de me taire ?

JARGON ET JOBELIN

Avertissement

Les mots « jargon » et « jobelin » désignent à peu près ce que nous appelons aujourd'hui l'argot. Le jargon étant l'argot des voleurs, des mauvais garçons, et le jobelin – mot qui viendrait de Job, et dont le sens est à peu près celui de jobard, c'est-à-dire niais – serait, lui, le parler des imbéciles – ou de ceux qui entendent se faire passer pour tels. Les deux langages, en tout cas, étant artificiels et volontairement hermétiques, la présence de ces pièces attestent, s'il en était encore besoin, que Villon était un authentique mauvais garçon, qui usait de ces langues avec assez d'aisance pour les plier à la prosodie exigeante du vers français de son temps.

Aux six premières ballades en jargon et jobelin, publiées par Pierre Levet, en 1489, à Paris – lequel ne disposait, pour tenter de comprendre ces vers obscurs, que du vocabulaire consigné sur les minutes des auditions de témoins lors du procès de la Coquille –, sont venues s'ajouter, près de quatre siècles plus tard, cinq nouvelles pièces, issues de ce qu'on appelle le « manuscrit de Stockolm[1] », qu'Auguste Vitu publia, en 1884, à la suite de son livre sur le *Jargon du XVᵉ siècle*. L'authenticité et la paternité de ces vers ont cependant été contestées.

À la suite de Pierre Levet et d'Auguste Vitu, d'autres glossateurs, comme le Dʳ René Guillon, Lazare Sainéan, Lucien Schöne, le Dʳ Sneyders de Vogel, n'ont pas manqué, chacun à sa manière, de proposer des « tra-

---

1. Ces ballades sont signalées ci-après par la mention « Stockolm : Ballade X ».

ductions » susceptibles de rendre ces ballades intelligibles, mais force est de constater que, outre « l'état divers d'entre » elles, il ne s'agit la plupart du temps que de conjectures peu assurées et pas toujours convaincantes.

Plutôt que de tenter une énième traduction-explication de ces pièces, mieux vaut les livrer dans leur version originale à l'appréciation de chacun, pour qui elles seront – ce qu'elles ont été pendant des siècles pour des millions de lecteurs – une curiosité langagière, dont le mérite est d'apporter la preuve que Villon, s'il reste un des plus grands poètes de la langue française, était aussi un grand voyou, un « délinquant d'habitude » – et pas seulement un compagnon de route de la pègre, à la Carco ou à la Genet –, ce qui lui vaut une stature unique dans les lettres françaises.

On trouvera donc ci-après les onze ballades en jargon et jobelin, telles quelles, sans traduction ni apparat critique.

I

À Parouart, la grant mathe gaudie,
Où accolez sont duppes et noircis,
Et par les anges suivant la paillardie,
        Sont greffis et pris cinq ou six ;
Là sont beffleurs au plus haut bout assis
Pour le heviage et bien haut mis au vent.
Échéquez-moy tôt ces coffres massis :
Car vendengeurs des anses circoncis,
        S'en brouent du tout à néant
        Échec, échec pour le fardis !

        Brouez-moy sur ces gours passants,
        Avisez-moy bientôt le blanc,
Et piétonnez au large sur les champs.
Qu'au mariage ne soyez sur le banc
        Plus qu'un sac de plâtre n'est blanc.
        Si gruppés êtes des carieux,
        Rebignez tôt ces enterveux
        Et leur monstrez des trois le bris
        Qu'enclôt ne soyez deux à deux :
        Échec, échec pour le fardis !

        Plantez aux hurmes vos picons,
        De peur des bisans si très durs,
        Et aussi d'être sur les joncs,
        Emmalés en coffre, en gros murs ;
        Écharicez, ne soyez durs,
Que le grand Can ne vous face essorer.
        Songears ne soyez pour dorer,
        Et babignez tousjours aux [huis]
        Des sires pour les débouser
        Échec, échec pour le fardis !

Prince Froart, dit des arques petits,
L'un des sires si ne soit endormi[s].
Luez au bec que ne soyez greffis,
 Et que vous en n'ayez du pis :
 Échec, échec pour le fardis !

II

Coquillars, arvans à Ruel,
Menys vous chante que gardez
Que n'y laissez et corps et pel,
Comme fit Colin l'Écailler.
Devant la roue à babiller.
Il babigna pour son salut !
Pas ne savait oignons peler,
Dont l'amboureux lui rompt le suc.

Changez vos endosses souvent,
Et tirez-vous tout droit au temple ;
Et échéquez tôt, en brouant,
Qu'en la jarte ne soyez ample.
Montigny y fut par exemple
Bien attaché au halle grup,
Et y jargonnât-il le tremple,
Dont l'amboureux lui rompt le suc.

Gailleurs, bien faits en piperie,
Pour ruer les ninars au loing,
À l'assaut tôt sans suerie !
Que les mignons ne soient au gaing
Farcis d'un plombeïs à coing,

Qui griffe au gard le duc[1],
Et de la dure si très loin
Dont l'amboureux lui rompt le suc.

Prince, erriere de Ruel
Et n'eussiez-vous denier ni pluc,
Qu'au giffle ne laissez la pel
Pour l'amboureux qui rompt le suc.

III

Spélicans
Qui en tous temps
Avancez dedans le pogois
Gourde piarde
Et sur la tarde
Débousez les pauvres niais ;
Et pour soutenir vos poids
Les dupes sont privés de caire,
Sans faire haire
Ni haut braire,
Mais plantés ils sont comme joncs
Pour les sires qui sont si longs.

Souvent aux arques
À leur marques
Se laissent toujours débouser
Pour ruer
Et enterver ;

---

1. Toutes les éditions consultées donnent ce vers de six pieds au milieu du huitain d'une ballade en octosyllabes. Oubli, manque, erreur de transcription ? En tout cas, quelle que soit la prononciation adoptée, le décompte des syllabes ne peut donner ici que six pieds.

Pour leur contre que lors faisons
La fée les arques vous réponds
   Et rue deux coups ou trois
     Aux gallois.
    Deux ou trois
  Nineront trétout aux fronts
Pour les sires qui sont si longs.

    Pour ce, Bénards,
     Coquillards
Rebéquez-vous de la montjoie
    Qui desvoie
   Votre proie,
Et vous fera du tout brouer
  Par joncher et enterver
  Qui est aux pigeons bien cher
    Pour rifler
    Et plaquer
 Les angels de mal tous ronds
Pour les sires qui sont si longs.

   De peur des hurmes
    Et des grumes
Rassurez-vous en droguerie
    Et faierie
Et ne soyez plus sur les joncs
Pour les sires qui sont si longs.

IV

Saupiqués frouans des gours arques
Pour débouser beaux sires dieux,
Allez ailleurs planter vos marques !

Bénards, vous êtes rouges gueux.
Bérart s'en va chez les joncheux,
Et babigne qu'il a plongis
Mes frères ne soyez embraieux
Et gardez des coffres massis !

Si gruppés êtes desgruppez
De ces angels si graveliffes :
Incontinent manteaux chappés
Pour l'embroue ferez éclipses ;
De vos farges serez bésifles,
Tout debout, et non pas assis.
Pour ce, gardez-vous d'être griffes
Dedans ces gros coffres massis.

Niais qui seront attrapés,
Bientôt s'en broueront au halle :
Plus n'y vaut que tôt ne happez.
La baudrouse de quatre talle
Destirer fait la hirenalle,
Quand le gosier est assegi[s] ;
Et si hurque la pirenalle,
Au saillir des coffres massis.

Prince des gayeux, les sarpes,
Que vos contres ne soient greffis
Pour doute de frouer aux arques,
Gardez-vous des coffres massis.

V

Joncheurs jonchant en joncherie,
Rebignez bien où joncherez,
Qu'Ostac n'embroue votre arerie
Où accolés sont vos aînés.
Poussez de la quille et brouez,
Car tôt vous seriez roupieux.
Échec qu'accolés ne soyez
Par la poë du marieux !

Bandez-vous contre la faerie
Quand ils vous auront débousés,
N'étant à juc la rifflerie
Des angels et leurs assosés.
Bérard, si vous puît, renversez ;
Si greffir laissez vos carrieux,
La dure bientôt renversez
Pour la poë du marieux !

Entervez à la floterie ;
Chanter leur trois, sans point songer,
Qu'en astes ne soiez[1] en surie
Blanchir vos cuirs et essurger.
Bignez la mathe, sans targer,
Que vos ans n'en soient roupieux !
Plantez ailleurs contre assiéger
Pour la poë du marieux !

Prince, bénard en esterie,
Querez couplaux pour l'amboureux,
Et, autour de vos ys, luezie
Pour la poë du marieux !

1. Une syllabe.

VI

Contres de la gaudisserie,
Entervez tousjours blanc pour bis,
Et frappez, en la hurterie,
Sur les beaux sires, bas assis.
Ruez des feuilles cinq ou six,
Et vous gardez bien de la roe
Qui aux sires plante du gris
Et leur faisant faire la moe.

La gifle gardez de rurie,
Que vos corps n'en aient du pis,
Et que point à la turterie
En la hurme ne soiez[1] assis.
Prenez du blanc, laissez le bis,
Ruez par les fondes la poe
Car le bizac a voir advis,
Fait aux béroars faire la moe.

Plantez de la mouargie[2],
Puis çà, puis là, pour le hurtis,
Et n'épargnez point la flogie
Des doux dieux sur les patis.
Vos ens soient assez hardis
Pour leur avancer la droe ;
Mais soient memoradis[3]
Qu'on ne vous fasse faire la moe[4].

---

1. Une syllabe.
2. Quelle que soit la façon de compter, ce vers a du mal à passer pour un octosyllabe.
3. *Idem.*
4. *Idem.*

Prince, qui n'a bauderie[1]
Pour échever de la soe
Danger de grup en arderie
Fait aux sires faire la moe.

VII
[Stockolm : Ballade I]

En Parouart, la grant mathe gaudie
Où accolés sont caux et agarcis
Noces ce sont, c'est belle mélodie.
Là sont beffleurs au plus haut bout assis,
Et vendangeurs, des anses circoncis,
Comme servis sur ce jonc gracieux,
Danse plaisant et mets délicieux ;
Car Coquillart n'y remaint grand espace
Que veuille ou non, ne soit fait des sieurs :
Mais le pis est mariage : m'en passe !

Reboursez-vous, quoi que l'on vous en die,
Car on aura beaucoup de vous merci[s].
Rente n'y vaut ni plus qu'en Lombardie.
Échec, échec pour ces coffres massis !
De gros barreaux de fer sont les chassis.
Posce à Gautier se serez un peu mieux.
Plantez picons sur ces beaux sires dieux ;
Luez au bec que roastre ne passe,
Et m'abattez de ces grains neufs et vieux.
Mais le pis est mariage : m'en passe !

1. *Idem.*

176

Que faites-vous ? Toute ménestrandie
Entonnez poids et marques six à six,
Et les plantez au bien, en paillardie,
Sur la sorne que sires sont rassis.
Sornillez-moy ces georgets si farcis,
Puis échéquez sur gours passants tous neufs.
De seyme oyez, soyez beaucoup bréneux,
Plantez vos huis jusques elle rappasse.
Car qui est grup, il est tout roupieux,
Mais le pis est mariage : m'en passe !

Prince planteur, dire verté vous veux :
Maint Coquillart, pour les dessus-dits veux
Avant ses jours piteusement trépasse,
Et à la fin en tire ses cheveux.
Mais le pis est mariage : m'en passe !

VIII
[Stockolm : Ballade II]

Vous qui tenez vos terres et vos fiefs
Du gentil roi, Daviot appelé,
Brouez au large et vous équarrissez,
Et gourdement aiguisez le pellé
[Loin de la roue ou Bernard est allé]
Pour les éclats qui en peuvent issir.
Voyez ce jonc, où l'on fait maint soupir ;
Mines taillez et chaussez vos bésicles :
Car en aguet sont, pour vous engloutir,
Anges bossus, rouastres et scaricles.

Coqueurs de pain et pommeurs affectés,
Gagneurs aussi, vendangeurs de côté,

Bélîtriens perpétuels des pieds,
Qui sur la roue avez lardons clamés
En jobelin où vous avez été
Par le terrant pour le franc rond quérir,
Et qui aussi pour la marque fournir,
Avez tendu au pain et aux ménicles :
Pourtant se font adouter et crémir
Anges bossus, rouastres et scaricles.

Rouges goujons, fargets, embabillés,
Gueux gourgourants par qui gueux sont gourés,
Quant à brouart sur la sorne abroués,
Levez les sons et si tâtez lesquels,
Qu'il n'y ait anges déclavés empavés
En la vergne où vostre han veut loirir :
Car des sieurs pourriez bien devenir,
Si vous étiez happés en tels bouticles :
Pourtant se font atâter et crémir
Anges bossus, rouastres et scaricles.

Prince, planteurs et bailleurs de safirs
Qui sur les doigts font la perle blandir,
Bélîtriens, porteurs de vironicles,
Sur toutes riens doivent tel gens crémir
Anges bossus, rouastres et scaricles.

IX
[Stockolm : Ballade III]

Un gier cois de la vergne Cygault,
Lué l'autrier en brouant à la loirre,
Où gièrement on maquillait riffaut ;
Et tout à coup vis jouer de l'escoirre

Un maquonceau à tout deux gruppelins
Brouant au bay, à tout deux walequins ;
Pour avancer au solliceur de pie.
Gaultier lua la gauldrouse gaudie,
Et le marquin, qui se polie et coince,
Babille en gier en piant à la sie,
Pour les dupes faire brouer au mince.

Après moller lué un gueux qui vout
Pour mieux hier dériver la touloire,
(C'est pour livrer aux arques un assaut)
De missemont maquillés à l'équerre.
Puis dit un gueux : « J'ai paumé deux florins. »
L'autre polit marquins et dolequins,
Et la marque souvent le gain choisit.
Adraguangier puis dit, le mieux fourni :
« Piquons au veau, saint Jacques, je m'épince !
Échéquer faut quand la pie est juchie
Pour les dupes faire brouer au mince. »

Puis dit un gueux qui pourluoit en haut :
« J'ai jà paumé tout le gain de ma choire,
Et m'a joué la marque du giffaut.
J'en suis mieux pris que volant à la foire.
Elle est brouée envers ses arlouis.
C'est tout son fait que d'engaudrer les gains,
À hornangier, ains qu'elle soit lubie.
De la hanter ma feuille est dégaudie,
Quant de gain n'ay plus vaillant une saince :
Mais toujours est gourdement entrognie
Pour les dupes faire brouer au mince. »

Prince galant, quand vous saudrez la hie,
Luez[1] la grime s'elle est démaquillie
Et retrallez si le bisouart saince
Qu'elle ne soit de l'assaut de turquie,
Pour les dupes faire brouer au mince.

X

[Stockolm : Ballade IV]

Brouez, Bénards, échéquez à la sauve,
Car écornés vous êtes à la roue ;
Fourbe, joncheur, chacun de vous se sauve :
Échec, échec ! Coquille ci s'embroue !
Cornette court, nul planteur ne s'y joue.
Qui est en plant, en ce coffre joyeux,
Pour ces raisons il a, ains qu'il écroue,
Jonc verdoyant, havre du marieux !

Maint Coquillard, écorné de sa sauve,
Et débousé de son anse ou sa poue,
Beau de bourdes, blandi de langue fauve,
Quide au rond faire aux grimes la moue
Pour querre bien afin qu'on ne le noue.
Couplez-vous trois à ces beaux sires dieux,
Ou vous aurez le ruffle sur la joue
Jonc verdoyant, havre du marieux !

Qui *stat* plain en gaudie ne se mauve,
Luez au bec que l'on ne vous encloue :
C'est mon avis, tout autre conseil sauve.
Car quoi ? aucun de la faux ne se loue.

1. Une syllabe.

La fin en est telle qu'on en déloue.
Car qui est grup, il a, mais c'est au mieux,
Par la vergne, tout au long de la voue,
Jonc verdoyant, havre du marieux !

Vive David ! saint archquin, la baboue !
Iean mon ami, qui les feuilles dénoue,
Le vendangeur, beffleur comme une choue,
LOing de son plain, de ses flots curieux
Noe beaucoup, dont il reçoit fressoue,
Jonc verdoyant, havre du marieux !

XI
[Stockolm : Ballade V]

Si devers quai, par un temps d'hivernois,
Vis abrouer à la vergne Cygaut
Marques de plan, dames et audinas,
Et puis marchands, tous tels qu'au métier faut
. . . .

Gueux affinés, allégris et floars,
Mareux, arves, pimpres, dorlots et fars,
Qui par usage, à la vergne jolie
Abrouèrent à flot de toutes parts
Pour maintenir la joyeuse folie.

Pour mieux abattre et ôter le broullart
Adraguèrent [...] maint crupaut
De rumatin et puis mout sines gras
Truie marir sans avancer ravaut,
. . . .

Babillangier sur tous faits et sur ars,

181

Tant qu'il n'y eût de l'arton sur les cas
Broquant dorlots, grain, gain, aubeflorie,
Que tout ne fût déployé et en parts,
Pour maintenir la joyeuse folie.

Pour mieux polir et débouser musars,
On pollua des luans, bas et haut,
Tant qu'il n'y eût de vivres en caras ;
Puis fit-on faire à saint archquin un saut.
Après, doutant de ces anges l'assaut,
On verrouilla et serra les busars,
Pour mieux blanchir et débouser coquars.
Là eut un gueux son endosse polie,
Qui puis alla emprunter aux Lombards
Pour maintenir la joyeuse folie.

TABLE

ŒUVRES COMPLÈTES

POÉSIES DIVERSES

JARGON ET JOBELIN

TRANSCODÉ
ET ACHEVÉ D'IMPRIMER
EN   AVRIL   2005
SUR LES PRESSES DE
CORLET   IMPRIMEUR
À CONDÉ-SUR-NOIREAU
C A L V A D O S